D1044971

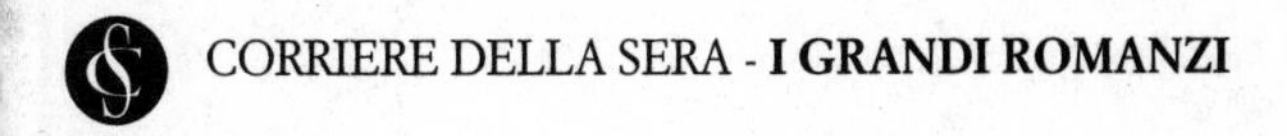
CORRIERE DELLA SERA - I GRANDI ROMANZI

I GRANDI ROMANZI
Corriere della Sera
N. 2

Robert Louis Stevenson
Lo strano caso del dottor Jekyll e del signor Hyde

Titolo originale
The Strange Case of Dr. Jekyll and Mr. Hyde

Edizione speciale per il Corriere della Sera
Pubblicata su licenza di RCS Libri S.p.A.

Progetto grafico
Out of Nowhere s.r.l.
Art
Marco Pennisi & C.

Redazione
A&P Editing - Milano

Impaginazione
Grande forEdit - Monza

Stampa e legatura
Nuovo Istituto Italiano d'Arti Grafiche - Bergamo
Grafica Veneta - Trebaseleghe (PD)
Rotolito Lombarda - Pioltello (MI)
Tipolito G. Canale - Borgaro Torinese (TO)

Supplemento al numero odierno del Corriere della Sera
Direttore responsabile: Ferruccio De Bortoli
RCS Editori S.p.A. - Settore Quotidiani
Via Solferino 28 - 20121 Milano
Reg. Trib. Milano n. 139 del 29 giugno 1948
Sede legale: Via Rizzoli 2 - Milano

Robert Louis Stevenson

Lo strano caso del dottor Jekyll e del signor Hyde

Prefazione
Sandro Veronesi

Traduzione e note
Oreste Del Buono

CORRIERE DELLA SERA - **I GRANDI ROMANZI**

Prefazione

Che mi succede? È cambiata la mia faccia?

di Sandro Veronesi

Un giorno, quando ero ragazzo, vidi alla televisione Jan Kodes, il campione cecoslovacco, che teneva una lezione di tennis davanti a una lavagna su cui era disegnato un campo da gioco. «Poniamo che io debba battere», diceva, «e ammettiamo che decida di battere sul dritto del mio avversario. Allora batterò molto forte e tagliato, col giro a uscire, così»; e tracciò una micidiale traiettoria col gesso sulla lavagna, dal punto di battuta verso l'esterno del rettangolo di ricezione. Poi continuò: «Ammesso che il mio avversario riesca a rispondere – perché ho battuto davvero forte – la sua risposta non potrà essere che questa»; e tracciò una traiettoria sbilenca di risposta verso la metacampo del battitore. «Io naturalmente avrò seguito a rete il mio servizio, così»; e disegnò un cerchietto bianco sotto rete, sopra la traiettoria della risposta. «A questo punto eseguirò una volée bassa incrociata molto profonda, in questo modo»; e disegnò un'altra micidiale traiettoria dal cerchietto sottorete fino all'incrocio delle righe, dalla parte opposta del campo rispetto a quella dove aveva servito. «Il mio avversario non potrà mai prenderla», disse ridacchiando. «Quindici-zero.» Ripeté altre tre volte operazioni simili, sempre cancellando le traiettorie del punto precedente e sempre sostituendole con nuove, fenomenali azioni di serve-and-volley che non davano scampo all'avversario, e vinse il gioco a zero. «Be', questo è il tennis», concluse. Era, come ho detto, una lezione di tennis di Jan Kodes, negli anni Settanta.

Un po' di tempo dopo mi sono imbattuto in qualcosa di molto simile, leggendo le pagine di un saggio di Robert Louis Stevenson intitolato A Gossip on Romance, *scritto circa un secolo prima. In particolare, questa pagina:*

La cosa giusta dovrebbe andare a finire nel luogo giusto; dovrebbe poi seguire un'altra cosa giusta; e [...] tutte le circostanze di un racconto dovrebbero rispondersi a vicenda come le note nella musica. I vari fili di un racconto ogni tanto si uniscono e nell'ordito creano un'immagine; i personaggi incorrono ogni tanto in certi atteggiamenti – tra di loro o rispetto alla natura – che contrassegnano il racconto come un'illustrazione. Crusoe che indietreggia di fronte a un'orma è il momento culminante della leggenda, che ognuno si è impresso per sempre nella mente. Altre cose possiamo dimenticarle; [...] possiamo dimenticare il commento dell'autore, anche se era forse ingegnoso e veritiero; ma queste scene che fanno epoca, imponendo a un racconto il marchio definitivo della verità e colmando, in un colpo solo, la nostra capacità di godimento, le adottiamo nel fondo della nostra mente in modo che né il tempo né gli avvenimenti possono cancellarne o diminuirne l'impressione. Questa è dunque la parte plastica della letteratura: incarnare un personaggio, un pensiero o un'emozione in un atto o in un atteggiamento che colpisca profondamente l'occhio della mente.

Come Jan Kodes per il gioco del tennis, Stevenson ci dà qui la lezione più beffarda e profonda su come si possano scrivere dei classici che continueranno a vivere ben oltre la nostra morte. Fai come dice l'uno: vinci Wimbledon; fai come dice l'altro: scrivi Lo strano caso del dottor Jekyll e del signor Hyde. *Sai come si fa a farlo: sei Kodes, o sei Stevenson. Perché un'idea folgorante può venire a chiunque; ma realizzarla e farne un archetipo della cultura occidentale, e farlo tramite un'immagine che resterà per sempre, nella propria plastica – appunto – terribile bellezza, conficcata nella mente di generazioni e generazioni di lettori – be', come dice Kodes, questa è letteratura. Il risveglio di Gregor Samsa all'inizio della* Metamorfosi *di Kafka minaccia il sonno di tutto l'Occidente; in tutte le stazioni ferroviarie d'Europa, mentre la gente si affretta pensando ai fatti propri, Anna Karenina si butta sotto al treno; ogni volta che un uomo si innamo-*

ra della donna sbagliata, Emma Bovary sta sorridendo sotto il suo parasole iridescente. È così che funziona. Per questo, anche a costo di apparire banali, per parlare dello Strano caso del dottor Jekyll e del signor Hyde *bisogna partire da una di queste immagini-simbolo, che da sola si trascina tutto il libro attraverso i secoli: l'immagine della trasformazione di Hyde in Jekyll. A causa di questa pagina, in cui Stevenson fa descrivere al dottor Lanyon la dolorosa, terrificante trasformazione, avvenuta sotto i suoi occhi, di un losco, minuto individuo vestito da fattorino nel grasso collega col quale aveva litigato e poi fatto pace, a causa di questa scena, dicevo, «Dottor Jekyll e Mister Hyde» è divenuta una frase significante per tutto l'Occidente. È la volée incrociata che chiude il punto: gioco, partita, incontro.*

Ma la grandiosità dell'opera si era già costruita in precedenza, nella complessa articolazione narrativa che sviluppa un tema tremendo e praticamente inedito nel 1886, anno di pubblicazione del libro. Mancano ancora quattordici anni alla contemporanea (e sicuramente non per caso) comparsa di due libri che, all'alba del nuovo secolo, cambieranno definitivamente la nostra civiltà: Cuore di tenebra *di Joseph Conrad e* L'interpretazione dei sogni *di Sigmund Freud. Entrambi questi libri, l'uno tramite l'immagine-simbolo di Kurtz che esclama «The Horror! The Horror!», l'altra tramite la sconvolgente rapsodia di immagini-simbolo estratte dal fondo limaccioso dei sogni dei pazienti, portano irreversibilmente a galla l'inconscio, con la sua terribile, misconosciuta potestà. La stessa cosa, però, l'aveva fatta Stevenson quattordici anni prima, anche se per tranquillizzarsi un po' i lettori del* Dottor Jekyll *lo avevano rubricato tra i grandi racconti gialli, o polizieschi, o fantastici, comunque di genere. Lo sdoppiamento Jekyll-Hyde, infatti, è ben più di una trovata spaventosa, e lo sviluppo di questo spunto, la sofisticata macchina narrativa che trasporta il lettore fino alla scena fatale, è molto più di un marchingegno studiato per produrre effetti. Si tratta di una vera e propria scoperta.*

Innanzitutto, l'origine del libro. È Stevenson stesso a dirci che lo spunto proviene da un sogno, in un periodo nel quale, a Bournemouth, nel 1885, se ne stava a letto in preda ai farmaci per curarsi da una serie di emorragie polmonari. Un bonario medico vittoriano che, per effetto di una strana pozione da lui stesso preparata, subisce la tra-

sformazione in un bieco individuo senza freni inibitori, più giovane, sadico e straordinariamente libero; grazie alla stessa pozione può ritornare in sé, ma la meccanicità di questo fenomeno viene ben presto spazzata via da una serie di fenomeni che rendono lo sdoppiamento tragicamente coatto e irreversibile. Questo, lo spunto fornito dal sogno. Un sogno, dunque, più una malattia, più una terribile scoperta, sono all'origine di questo breve, memorabile romanzo. Dopodiché dobbiamo constatare la straordinaria qualità della lavorazione di questa materia prima. Stevenson infatti poggia tutto il suo lavoro su due capisaldi, che apparentemente complicano la vicenda, allontanando il lettore dallo spunto originario: la traslazione narrativa, che tira in ballo altri personaggi e fa di essi i veri narratori della storia, e un accanito realismo descrittivo, che nega a priori la presunta natura fantastica di questa opera e le conferisce assoluta credibilità. I risultati che ottiene in questo modo spingono il Dottor Jekyll *nel territorio dei capolavori. La narrazione affidata ad altri, infatti, prima a Utterson e poi al dottor Lanyon, nel distanziare il lettore dall'oggetto terribile della vicenda, glielo svela a poco a poco sotto forma di rivelazione, dandogli anche delle figure nelle quali immedesimarsi, estranee ai fatti, sì, ma non così distanti e fredde come sarebbe stato il narratore impersonale, poiché sono riguardate dai fatti. In questo modo il lettore si sente costantemente riguardato dall'orrore che aleggia sulla storia che sta leggendo. E quando Stevenson affida a Utterson la descrizione fisica di Hyde, e ne cava una delle più inquietanti, misteriose e ambigue descrizioni fisiche della storia della letteratura, ciò che inquieta non è l'aspetto descritto, né la profonda convinzione che quell'aspetto corrisponda al puro Male, ma la sinistra familiarità che, tramite l'inquietudine di Utterson, i lettori percepiscono con quell'aspetto; come se quel Male così platealmente precipitato dentro un involucro umano provenisse dall'interno di ognuno di loro.*

Che poi, e questo è un altro aspetto straordinariamente profondo e moderno – e, dunque, classico – del racconto di Stevenson, così come Jekyll non è puro Bene, anche Hyde, pur nella propria evidente malignità, non è puro Male. La grande scoperta di Stevenson (e la grande dannazione laica, anche, della sua scoperta) riguarda infatti la tragica indissolubilità tra Bene e Male, l'impossi-

bilità di tenerli separati. Così come nel grasso e bonario dottore vittoriano è contenuto il criminale segaligno che la pozione proietta all'esterno, nel criminale segaligno sopravvive la moralità del dottore, per cui, alla fine, uno sdoppiamento che doveva dividere in realtà moltiplica: quello che cambia è soltanto il dominio di una parte o dell'altra sul tutto. Come fare a pezzi un lombrico; sì, come fare a pezzi un lombrico: ottieni solo tanti lombrichi.

Ancora una volta, questa scoperta sconvolgente di Stevenson (e proviamo a immaginare quanto sconvolgente nel 1886), cioè l'indivisibilità del Bene dal Male, compare nel racconto molto prima della famosa scena della trasformazione; è strutturale, fin dalla descrizione della casa di Jekyll, con la sua grande porta rispettabile che dà sulla piazza e la sordida porticina del laboratorio che dà sul vicolo. E viene ribadita alla fine nel rinvenimento di Hyde, morto sul pavimento del laboratorio di Jekyll, con addosso i vestiti troppo grandi di Jekyll, e l'odore acre della capsula di veleno che ha appena rotto con i denti. Hyde si uccide, non Jekyll. Hyde. Il Bene che sopravvive nella creatura maligna la spinge a togliersi di torno.

Perciò leggere questo libro di Stevenson dopo avere letto la pagina citata dal suo saggio sul romanzo equivale a vedere Jan Kodes giocare a Wimbledon dopo avergli sentito fare la lezione alla lavagna. Che poi tutto questo abbia più a che fare con l'inconscio che con il talento, che la vera natura di ogni gesto geniale abbia molto più a che fare con l'istinto che con le spiegazioni razionali fornite a posteriori, è un fatto assodato e ampiamente confermato sia da Kodes sia da Stevenson con i loro beffardi insegnamenti. Che la vera origine delle grandi intuizioni sia personale e imperscrutabile e talvolta patologica è l'unica certezza che l'esperienza creativa sia in grado di fornire. Anche se non serve a nulla.

Robert Louis Stevenson morì di ictus nel 1894, a Upolu, isole Samoa, all'età di quarantaquattro anni, stramazzando a terra dopo avere stappato una bottiglia del suo Borgogna preferito e aver gridato d'improvviso alla moglie: «Che mi succede? Cos'è questa stranezza? È cambiata la mia faccia?»

Cronologia della vita e delle opere

1850, 13 novembre Nasce a Edimburgo, da ricca famiglia borghese e puritana, Robert Louis Stevenson.

1875 Dopo una giovinezza ribelle, in polemica col padre, si laurea in legge. Dalla professione lo distolgono però le delicate condizioni di salute, l'irrequietezza del temperamento e la vocazione letteraria.

1878-1879 Dai frequenti viaggi della giovinezza trae una ricca esperienza di costumi e di paesaggi, che descrive in *An Inland Voyage* (*Un viaggio all'interno*) e in *Travels with a Donkey in the Cevennes* (*Viaggio a dorso d'asino nelle Cevenne*).

1880-1882 Raggiunge in California Fanny Vandergriff Osbourne, incontrata alcuni anni prima, e la sposa. Vive per qualche tempo a Calistoga, una zona selvaggia del Far West. Raccoglie i racconti e i saggi apparsi su vari periodici nei volumi: *Virginibus puerisque*, *The New Arabian Nights* (*Nuove notti arabe*) e *Familiar Studies of men and books* (*Studi familiari su uomini e libri*). La sua precaria salute lo costringe però a continui spostamenti e soggiorni in luoghi climatici o di cura.

1883-1886 Di questi anni sono i suoi due capolavori: *Treasure Island* (*L'isola del tesoro*) e *The Strange Case of Dr. Jekyll and Mr. Hyde*. Appaiono anche un libro di versi, *A Child's Garden of Verses* (*Giardino poetico del fanciullo*), e il racconto fantastico *Prince Otto* (*Il principe Otto*). Del 1886 è anche il romanzo d'ambiente scozzese *Kidnapped* (*Il fanciullo rapito*).

1887-1893 Ormai celebre, si trasferisce a New York, e pubblica un altro importante romanzo ambientato in Scozia, *The Master of Ballantrae* (*Il signore di Ballantrae*). Dopo un soggiorno di cura negli Adirondack, intraprende una lunga crociera nei mari del Sud, sullo yacht *Casco*. In diciotto mesi di viaggio, visita molti arcipelaghi, finché decide di stabilirsi nell'isola di Upolu (Samoa), dove acquista la proprietà di Vailima e partecipa, come guida fraterna, alla vita degli indigeni (che lo chiamano *Tusitala*, «il Narratore»). Nel 1893 pubblica *Catriona*, mentre il soggiorno nelle isole Samoa gli ispira *The Island Night's Entertainments* (*I trattenimenti delle notti dell'isola*) e la raccolta d'impressioni *In the South Seas* (*Nei mari del Sud*), uscita postuma nel 1896.

1894, 3 dicembre Muore nella sua proprietà di Vailima, e viene sepolto sul monte Vaea. Al suo funerale partecipa l'intera popolazione. Lascia incompiuti i romanzi, *Weir of Hermiston* e *St. Ives*, entrambi pubblicati postumi (1896 e 1897).

Robert Louis Stevenson, nato a Edimburgo, Scozia, il 13 novembre 1850, morto a Vailima, Samoa, il 3 dicembre 1894, è stato uno dei più puri e astuti, dei più lineari e profondi narratori di tutti i tempi. Le sue favole, questa del dottor Jekyll e del signor Hyde per prima, sotto la nitida superficie, offrono uno spericolato scandaglio del tenebroso animo umano.

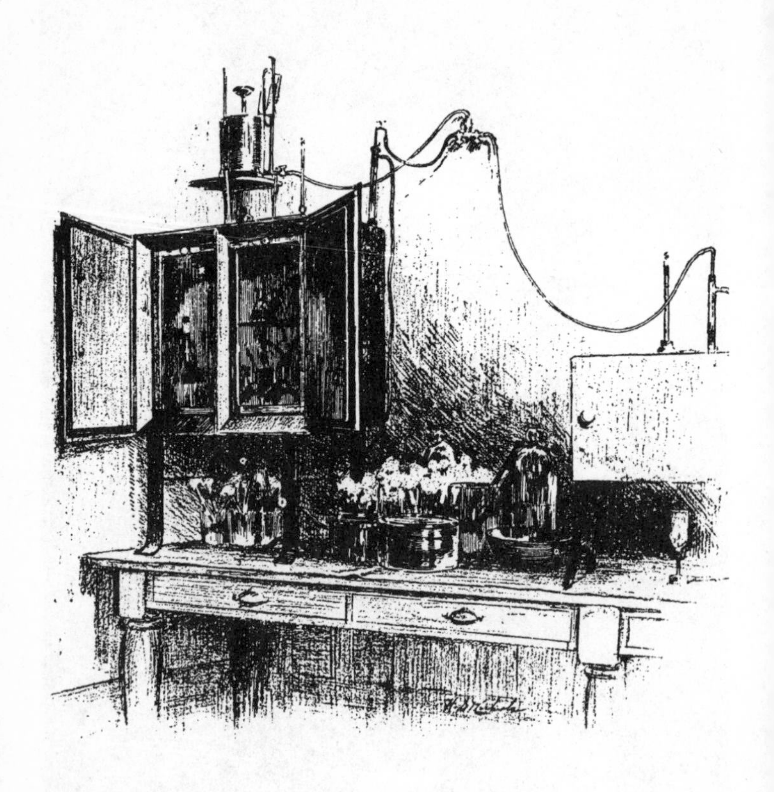

Un laboratorio inglese intorno al 1800. Ecco l'ambiente in cui il dottor Jekyll si industria a diventare il signor Hyde con l'aiuto di una scienza tentata dalla stregoneria e in cui il signor Hyde si affanna a ridiventare il dottor Jekyll per salvarsi dalla persecuzione dei benpensanti Utterson, Enfield e Poole.

Regent's Park, Londra, verso il 1800. L'epoca è tutta un'ostentazione di rispettabilità, di serenità, di virtù. Ma dietro la facciata troppo virtuosa si annida la contestazione della repressione. La contestazione è soprattutto nell'immaginazione pronta a sospettare e a perseguitare il mostro in ogni diverso.

L'epoca vittoriana è così non solo un'epoca di grandi virtù proclamate, ma anche di grandi delitti, atroci, rituali, blasfemi delitti, come questo raffigurato da un'incisione dell'epoca, in cui l'immaginazione dei divulgatori di crimini si sfoga non meno di quella degli stessi autori. È questo, probabilmente, il vero tema del capolavoro di Stevenson.

Lo strano caso del dottor Jekyll e del signor Hyde

I
Storia della porta

L'avvocato Utterson era un uomo dall'aspetto rude, non s'illuminava mai di un sorriso; freddo, misurato e imbarazzato nel parlare, riservato nell'esprimere i propri sentimenti; era un uomo magro, lungo, polveroso e triste, eppure in un certo senso amabile. Nelle riunioni di amici, quando il vino era di suo gusto, gli traspariva negli occhi qualcosa di veramente umano; qualcosa che non trovava mai modo di risultare nelle sue parole, e che si manifestava, oltre che in quella silenziosa espressione della faccia dopo una cena, più spesso ancora e più vivamente nelle azioni della sua vita. L'avvocato era severo nei riguardi di se stesso; quando si trovava solo, beveva gin, per mortificare l'inclinazione verso i buoni vini; e, sebbene il teatro lo attirasse, non aveva mai varcato la soglia di un teatro in vent'anni. Nei riguardi del prossimo era tuttavia di una grande indulgenza; talvolta si meravigliava, quasi con invidia, della forza con la quale certi animi potevano venire spinti alla malvagità; e, in ogni occasione, era disposto più ad aiutare che a disapprovare. «Io tendo all'eresia di Caino,» soleva dire argutamente, «lascio che mio fratello se ne vada al diavolo come meglio gli piace.»[1] Avendo un simile carattere, gli accadeva spesso di essere l'ultimo conoscente stimato, e di esercitare l'ultima buona influenza nella vita di uomini perduti. Costoro, sinché frequentavano la sua casa, venivano trattati senza il minimo mutamento di modi.

Indubbiamente questo contegno riusciva facile al signor Utterson, poiché egli era riservato al massimo grado, e anche le sue amicizie parevano fondate su una simile dottrina di bontà. È proprio dell'uomo modesto accettare il cerchio delle amicizie, così come sono, dalle mani della sorte; questo era il caso dell'avvocato. I suoi amici erano persone del suo stesso sangue, oppure gente che conosceva da lungo tempo; i suoi affetti, come l'edera, si sviluppavano con il tempo, e non implicavano particolari qualità nel loro oggetto. Di tal genere senza dubbio doveva essere il legame che lo univa al signor Richard Enfield, suo lontano parente, uomo molto conosciuto in città. Per molti restava un mistero cosa quei due potessero trovare uno nell'altro, e quali argomenti di conversazione potessero avere in comune. Coloro che li incontravano nelle loro passeggiate domenicali riferivano

[1] Paradossale riferimento alla *Genesi*: 4, 8-12, il dialogo tra Dio e Caino dopo l'uccisione di Abele.

che non parlavano, e parevano singolarmente tediati, e salutavano con evidente sollievo l'apparire di un comune conoscente. E tuttavia, i due uomini tenevano in gran conto quelle passeggiate, considerandole il maggiore svago della loro settimana, e non solo scartavano ogni altra occasione di divertimento, ma resistevano persino al richiamo degli affari, per goderne senza interruzione.

In uno di quei vagabondaggi accadde che passassero per una strada secondaria di un quartiere affollato di Londra. La via era piccola e quel che si dice tranquilla, ma nei giorni feriali era piena di gente affaccendata. I suoi abitanti erano tutti gente agiata, a quanto pareva, e tutti speravano con emulazione di poter stare sempre meglio, e spendevano il sovrappiù dei loro guadagni in cose futili; perciò le vetrine dei negozi si allineavano lungo la via con aria invitante, come una fila di sorridenti venditrici. Anche la domenica, quando la strada velava la maggior parte dei suoi fascini, ed era relativamente vuota e quieta, splendeva pur sempre come un fuoco in mezzo alla foresta, a paragone con gli squallidi dintorni; e, con le sue persiane dipinte di fresco, gli ottoni ben lucidati, la sua pulizia generale e la sua vivacità di colori, colpiva subito e ammaliava l'occhio del passante.

A due porte dall'angolo, sul lato sinistro della strada procedendo verso est, la linea era spezzata dall'ingresso di un cortile, e, proprio in quel punto, sporgeva sulla via un sinistro fabbricato. Era alto due piani; non presentava finestre, solo una porta al piano inferiore, e una facciata cieca con il muro scolorito al piano superiore; recava in tutto i segni di una prolungata e sordida negligenza. La porta, senza campanello né battaglio, era sudicia e screpolata. I vagabondi sonnecchiavano nel vano, e accendevano i fiammiferi sui battenti; i bimbi giocavano sui gradini, e gli scolari avevano provato il loro temperino sul legno; e per quasi una generazione nessuno era mai apparso a cacciar via gli inopportuni visitatori né a riparare le loro malefatte.

Il signor Enfield e l'avvocato passavano sull'altro lato della strada; ma, quando arrivarono davanti a quell'ingresso, il primo alzò il bastone e lo indicò:

«Avete mai notato quella porta?» chiese; il compagno rispose affermativamente, e allora lui aggiunse: «nella mia mente è connessa a una storia molto strana.»

«Davvero?» disse il signor Utterson, con un leggero mutamento di voce «di che storia si tratta?»

«Ebbene, è così,» rispose il signor Enfield: «io stavo tornando a casa da qualche posto in capo al mondo, circa alle tre di una scura mattina d'inverno, e i miei passi mi portavano attraverso una parte della città dove non c'era letteralmente nulla da vedere se non lampioni. Una strada dopo l'altra – e tutta la gente addormentata – una strada dopo l'altra – e tutte illuminate come per una processione e tutte vuote come chiese – sinché alla fine mi trovai in quello stato d'animo nel quale uno si mette in ascolto, e comincia a desiderare di scorgere una guardia. A un tratto, vidi due figure: una era un uomo piccolo, che camminava in fretta verso est, e l'altra una bimba di circa otto o dieci anni che correva il più velocemente possibile per una via traversa. Ebbene, signore, quei due come era naturale si scontrarono all'angolo; allora accadde la cosa orribile: infatti l'uomo calpestò tranquillamente il corpo della bimba e la abbandonò che gridava, lì per terra. A sentir dire questo sembra nulla, ma era terribile a vedersi. Quello non somigliava a un uomo; era come una creatura infernale. Detti in un grido, mi misi a correre, e afferrai per il colletto il mio uomo, e lo riportai là, dove già s'era formato un gruppo di gente intorno alla bimba in lacrime. Si mostrava perfettamente calmo e non opponeva resistenza, ma mi lanciò un'occhiata, un'occhiata così atroce che mi bagnò di sudore quasi avessi corso a lungo. Coloro che erano comparsi appartenevano alla famiglia della bimba; e il dottore che avevano mandato a chiamare giunse subito sul posto. Ebbene, la bimba non aveva nulla di particolare, era solo spaventata, secondo il sega-ossi; e qui potreste credere che tutto finisse. Ma c'era una curiosa circostanza. Sin dalla prima occhiata il mio uomo mi aveva fatto orrore.

Così pure alla famiglia della piccola, cosa che era perfettamente naturale. Ma quello che mi colpì fu il caso del dottore. Egli era il solito medico angoloso e asciutto, senza età e senza colore, con un forte accento scozzese, incapace di emozioni come una cornamusa. Ebbene, signore, provava quello che provavamo tutti noi: ogni volta che guardava il mio prigioniero, vedevo il sega-ossi diventare pallido dal desiderio di ucciderlo. Sapevo cosa avesse in mente, proprio come lui sapeva cosa avessi in mente io. Ma, siccome un omicidio era fuor di questione, ci comportammo come meglio si poteva; dichiarammo all'uomo che noi potevamo fare e avremmo fatto un tale scandalo dell'accaduto, da infamare il suo nome da un capo all'altro della città. Se aveva amici, o qualsiasi credito, sarebbe stato nostro compito farglieli perdere. Mentre lo minacciavamo in simile modo, tenevamo le donne lontane da lui come meglio possibile, perché apparivano selvagge come furie. Non vidi mai un cerchio di facce così piene d'odio; e l'uomo stava nel mezzo, con una specie di tetra ironica freddezza – anche lui era spaventato, si vedeva bene – ma cercava di non mostrarlo, proprio come Satana. "Se avete deciso di divulgare questo incidente" disse "io, naturalmente, non ho possibilità di difendermi. Ma un gentiluomo preferisce sempre evitare le scene. Dite il vostro prezzo." Ebbene, riuscimmo a ottenere cento sterline per la famiglia della bimba; evidentemente lui avrebbe voluto cavarsela in altro modo, ma c'era qualcosa di minaccioso nelle nostre facce, e dovette cedere. Ora si trattava di prendere il denaro; e dove credete che ci accompagnò, se non qui, davanti a questa porta? Estrasse una chiave, aprì, entrò, e subito tornò fuori con dieci sterline d'oro e un assegno per la banca Coutts, pagabile al portatore, e firmato con un nome che ora non posso dire, benché costituisca una delle cose principali della mia storia; ma era un nome per lo meno molto conosciuto e spesso stampato. La cifra era alta; ma la firma valeva ben di più, se non era falsa. Io mi presi la libertà di osservare al mio gentiluomo che tutta la faccenda mi sembrava losca, e che in realtà un uomo non può entrare in una cantina alle quattro del mattino, e uscirne con un assegno di circa cento sterline firmato da un'altra persona. Ma lui appariva completamente a proprio agio, e sorrideva con ironia. "Tranquillizzatevi" disse "resterò con voi sinché la banca non si aprirà, e riscuoterò io stesso l'assegno." Perciò ce ne andammo tutti, il dottore, il padre della bimba, l'amico e io, e passammo il resto della notte a casa mia; il giorno seguente, dopo aver fatto colazione, ci recammo, sempre tutti insieme, alla banca. Presentai l'assegno io stesso, e dissi che avevo tutte le ragioni per credere si trattasse di un falso. Invece, l'assegno era buono.»

«Perbacco!» disse il signor Utterson.

«Vedo che anche voi la pensate come me,» disse il signor Enfield. «Sì, è una brutta storia. Infatti il mio uomo era un tipo con il quale nessuno dovrebbe avere a che fare, un uomo veramente dannato; e la persona che aveva emesso l'assegno era la più onesta che si potesse pensare, e (quel che è peggio) uno di quei tipi che fanno veramente del bene. Un ricatto, immagino: un uomo onesto che paga per qualche errore di gioventù. "La casa del ricatto", così ora io chiamo di conseguenza quell'edificio con quella porta. Benché anche questo, vedete, non spieghi nulla,» aggiunse, e, dette queste parole, s'immerse nel silenzio.

Fu tratto dalla sua meditazione dal signor Utterson che gli domandò piuttosto bruscamente:

«E non sapete se colui che aveva emesso l'assegno vivesse in quella casa?»

«In un posto simile?» rispose il signor Enfield. «Ma credo di avere notato il suo indirizzo; abita in una piazza, non so bene quale.»

«E non avete mai domandato nulla circa... quell'edificio della porta?» chiese il signor Utterson.

«No, signore: ebbi un certo scrupolo,» fu la risposta. «Sono piuttosto contrario a fare domande; è troppo nello stile del giorno del giudizio. Se tu fai una domanda, è come se lanciassi una pietra. Te ne stai tranquillo sulla sommità di una collina; la pietra rotola giù, e ne smuove tante altre; sinché qualche ottimo vecchio (l'ultima persona cui pensavi) non viene colpito sulla testa nel suo giardino, e la famiglia deve cambiare nome. No, signore, ne ho fatto una regola per me: più una cosa appare curiosa, meno io domando.»

«Un'ottima regola, in verità» disse l'avvocato.

«Però io ho studiato questo luogo per conto mio,» continuò il signor Enfield. «E dirò che non assomiglia gran che a una casa. Non esiste altra porta, e nessuno entra o esce da questa porta, se non, una volta ogni tanto, il signore della mia avventura. Ci sono tre finestre che guardano sul cortile, al primo piano; sotto, non ve ne sono; le finestre sono sempre chiuse, ma sono pulite. E poi c'è un camino che di solito fuma; perciò qualcuno deve abitare lì dentro. Tuttavia non è certo; perché gli edifici sono tanto stretti intorno a quel cortile, che è difficile stabilire ove uno cominci e l'altro finisca.»

I due uomini continuarono a camminare per un poco in silenzio, poi il signor Utterson disse:

«Enfield, è una buona regola la vostra.»

«Sì, lo credo anch'io,» rispose il signor Enfield.

«Però,» continuò l'avvocato «c'è una cosa che io vorrei chiedervi: voglio domandarvi il nome di quell'uomo che calpestò la bambina.»

«Ebbene,» rispose il signor Enfield «non vedo che male potrebbe fare dirvelo. Si chiamava Hyde.»

«Hmm!» fece il signor Utterson. «E che specie di uomo era?»

«Non è facile a descriversi. C'è qualcosa di non chiaro nel suo aspetto; qualcosa di sgradevole, anzi di veramente detestabile. Non avevo mai visto un uomo che mi ripugnasse tanto, e non ne so la ragione. Doveva avere qualche deformità; dava l'impressione di essere deforme, sebbene io non riesca a specificare la cosa. Aveva un aspetto anormale, eppure non so dire precisamente in quale senso. No, signore; non posso descriverlo, non ci riesco. E non per mancanza di memoria; infatti, vi dico che mi sembra di vederlo anche in questo momento.»

Il signor Utterson fece ancora qualche passo in silenzio, evidentemente immerso in un suo pensiero.

«Siete sicuro che usasse una chiave?» chiese infine.

«Caro signore...» cominciò Enfield, molto sorpreso.

«Sì, capisco,» disse Utterson «intendo come vi possa apparire strano. Il fatto è che, se non vi domando il nome dell'altro, è perché lo conosco già. Vedete, Richard, la vostra storia mi riguarda un poco. Se siete stato inesatto in qualche punto, fareste meglio a correggervi.»

«Penso che avreste dovuto avvertirmi,» ribatté l'altro, leggermente contrariato. «Ma io sono stato scrupolosamente esatto. L'amico aveva una chiave; e, quello che più conta, l'ha ancora. L'ho visto usarla neppure una settimana fa.»

Il signor Utterson emise un profondo sospiro, ma non disse più nulla; e l'altro riprese:

«Ecco un'altra lezione; non si deve dire mai nulla. Mi vergogno della mia lingua lunga. Facciamo il patto di non parlare più di questa faccenda.»

«Ben volentieri» disse l'avvocato. «Ecco la mia mano, Richard.»

II
Alla ricerca del signor Hyde

Quella sera, il signor Utterson tornò nella propria casa di scapolo, di umore cupo, e sedette a cena senza alcun piacere. La domenica, aveva l'abitudine, terminata la cena, di sedere accanto al fuoco con qualche volume trattante aridi argomenti religiosi, sinché l'orologio della chiesa vicina non suonava la mezzanotte, ora alla quale l'avvocato se ne andava, tranquillo e soddisfatto, a letto. Quella sera, però, appena la tavola fu sparecchiata, prese una candela e si recò nel proprio studio. Qui aprì la cassaforte, trasse dallo scomparto più segreto un documento che recava scritto sulla busta «Testamento del Dottor Jekyll», e sedette con il viso rannuvolato a leggerne il contenuto. Il testamento era olografo, poiché il signor Utterson, sebbene avesse accettato di custodirlo quando il documento era stato redatto, s'era rifiutato di prestare la minima assistenza alla stesura; esso stabiliva non solo che, in caso di morte di Henry Jekyll, M.D., D.C.L., L.L.D., F.R.S.,[2]

[2] M.D.: dottore in medicina; D.C.L.: dottore in legge; L.L.D.: dottore in lettere; F.R.S.: membro della Società Reale.

eccetera, tutti i suoi beni dovessero passare nelle mani del suo «amico e benefattore Edward Hyde», ma che in caso di «scomparsa o inspiegata assenza del dottor Jekyll per un periodo superiore a tre mesi, il suddetto Edward Hyde doveva immediatamente prendere il posto del detto Henry Jekyll, libero da qualsiasi peso e obbligo, tranne il pagamento di qualche piccola somma ai domestici del dottore».

Questo documento aveva costituito per lungo tempo una preoccupazione per l'avvocato. Lo offendeva come legale e come uomo amante dei lati sani e normali della vita, per il quale la fantasia era immoralità. Sino a quella sera, il non sapere nulla circa il signor Hyde aveva accresciuto la sua indignazione; ora, per un improvviso gioco della sorte, proprio l'avere appreso qualcosa lo indignava maggiormente. Era già stato abbastanza brutto che quel nome fosse soltanto un nome, del quale non poteva sapere nulla di più. Ma era peggio ora che quel nome cominciava a rivestirsi di detestabili attributi; e dalle vaghe e inconsistenti nebbie che avevano tanto a lungo velato gli occhi dell'avvocato balzava fuori l'improvviso, netto presentimento di qualcosa di diabolico.

«Pensavo si trattasse di una pazzia,» disse, riponendo il documento nella cassaforte, «ma ora comincio a temere si tratti di un'ignominia.»

Così dicendo, spense la candela, indossò il soprabito, e uscì nella direzione di Cavendish Square, quella cittadella della medicina dove il suo amico, il celebre dottor Lanyon, abitava e riceveva i suoi numerosi pazienti.

«Se qualcuno può sapere qualcosa, è proprio Lanyon», pensava.

Il solenne maggiordomo lo conosceva, venne ricevuto cortesemente. Non dovette aspettare, fu subito introdotto nella sala da pranzo, dove il dottor Lanyon stava solo, davanti al suo bicchiere di vino. Era un uomo cordiale, dall'aspetto sano, vivace e colorito, con una ciocca di capelli precocemente bianca; i suoi modi erano chiassosi ed energici. Vedendo il signor Utterson si alzò prontamente, e gli si fece incontro tendendo le mani. A un osservatore, la cordialità di quell'uomo rischiava di apparire un poco teatrale, ma era fondata su un sentimento sincero. Infatti i due erano vecchi amici, compagni di scuola e di università, ambedue rigorosamente rispettosi uno dell'altro e di se stessi, e, cosa che non accade sovente, erano effettivamente felici di poter stare insieme.

Dopo una breve conversazione generica, l'avvocato affrontò l'argomento che occupava tanto spiacevolmente la sua mente.

«Credo, Lanyon,» disse, «che tu e io siamo i più vecchi amici di Henry Jekyll, no?»

«Vorrei che gli amici fossero più giovani,» disse

argutamente il dottore. «Sì, credo che effettivamente lo siamo. Ebbene? Io lo vedo così poco, ora.»

«Davvero?» chiese Utterson. «Pensavo che aveste interessi in comune.»

«Ne avevamo,» fu la risposta, «ma da più di dieci anni Henry Jekyll è diventato troppo stravagante per me. Cominciò ad avere idee molto strane; e, sebbene naturalmente io continui a interessarmi a lui per la nostra vecchia amicizia, lo vedo molto poco ormai. Spropositi tanto poco scientifici» aggiunse il dottore, arrossendo improvvisamente, «avrebbero reso estranei tra loro anche Damone e Pizia.»[3]

Questo piccolo sfogo costituì un certo sollievo per il signor Utterson. «È stata una divergenza di vedute solo in materia scientifica», pensò; ed essendo uomo di scarsa passione studiosa (eccetto in materia di atti legali) aggiunse pure:

«Nulla di più?» poi concesse all'amico qualche attimo per ricomporsi, e infine abbordò la questione per la quale si era recato lì: «Non avete mai incontrato un suo protetto, un certo Hyde?»

«Hyde?» ripeté Lanyon. «No. Non ne ho mai sentito parlare. Almeno, da quando lo conosco.»

Queste furono le sole informazioni che l'avvocato portò con sé, nel grande letto scuro, nel quale si agitò sinché non passarono le ore piccole e non fu giorno.

[3] Filosofi pitagorici celebri per l'amicizia che li univa.

Quella notte non arrecò molto ristoro alla sua mente preoccupata che si affaticò nel buio assoluto, assillata da tante domande.

Le campane della chiesa che era così opportunamente vicina alla casa del signor Utterson suonarono le sei, e lui era sempre immerso in quel problema. Esso lo aveva colpito, sinora, nel suo solo aspetto cerebrale; ma ora anche l'immaginazione vi era impegnata, o meglio asservita; e, mentre lui giaceva nel letto e si tormentava nell'oscurità della notte e della stanza velata da tende, la storia del signor Enfield gli ripassò davanti alla mente in una serie di immagini chiare. Gli pareva di vedere le lunghe file di lampioni nella città notturna; poi la figura di un uomo che camminava rapido; poi quella di una bimba che correva, venendo dalla casa del dottore; poi i due si scontravano, e quel demonio gettava in terra la bimba, e le passava sopra senza curarsi delle sue grida. Poi vedeva una stanza in una ricca casa, dove il suo amico giaceva addormentato, e sorrideva in sogno; la porta della stanza si apriva, le tende del letto venivano scostate, il dormiente destato, e... al suo fianco stava la figura di un uomo che aveva ogni potere, e, anche a quell'ora di notte, l'amico doveva alzarsi e obbedire ai comandi. Quella persona nelle sue due fasi perseguitò l'avvocato per tutta la notte; e, se costui si assopiva di tanto in tanto, era solo per vedere quell'individuo scivolare furtivamente attraverso case addormentate, o aggirarsi rapido, sempre più rapido, sino alla vertigine, per gli ampi labirinti della città illuminata dai lampioni e a ogni angolo di strada calpestare una bimba e abbandonarla a gridare. Eppure quella figura non aveva una faccia per la quale potesse conoscerla; anche nei sogni non aveva faccia, oppure aveva una faccia che lo scherniva, e si dissolveva davanti ai suoi occhi; e fu così che nacque e crebbe nella mente dell'avvocato una curiosità stranamente viva e quasi irresistibile di vedere i lineamenti del vero signor Hyde. Se avesse potuto anche solo una volta metter gli occhi su di lui, pensava che il mistero si sarebbe chiarito, e insieme dissolto, come accade per tutte le cose misteriose quando vengono bene esaminate. Avrebbe capito la ragione della strana predilezione del suo amico, o meglio della sua schiavitù (chiamatela come volete) e persino delle stupefacenti clausole del testamento. Comunque doveva essere una faccia interessante a vedersi: la faccia di un uomo senza alcuna pietà: una faccia a cui era bastato mostrarsi per sollevare nel cuore dell'impassibile Enfield un impulso di tenace odio.

Da allora il signor Utterson cominciò a tener d'occhio continuamente la porta nella strada dei negozi. La mattina, prima dell'ora d'ufficio; a mezzogiorno, quando c'era molto da fare e il tempo era contato; la sera, sotto la luna velata dalle nebbie cittadine: sotto qualsiasi luce e a qualsiasi ora, nella solitudine o nella folla, l'avvocato era visibile al suo posto. «Se lui è il signor Hyde, io sarò il signor Seek», pensava.[4]

Alla fine la sua pazienza venne ricompensata. Era una bella notte asciutta; gelo nell'aria, le strade pulite come il pavimento di una sala da ballo; i lampioni, non scossi dal vento, gettavano a intervalli regolari luce e ombra. Alle dieci di sera, con i negozi chiusi, la strada era molto solitaria, e, nonostante il brusio continuo che veniva dai dintorni di Londra, molto silenziosa. Si udivano così anche i più piccoli suoni; rumori domestici che provenivano dalle case, da una parte e dall'altra della strada; e l'avvicinarsi di un passante si preannunciava molto prima del suo apparire. Il signor Utterson era al suo posto da alcuni minuti, quando si accorse che un curioso passo leggero si stava avvicinando. Nel corso delle ronde notturne, da tempo egli si era abituato allo strano effetto con il quale i passi di una persona sola, che è ancora molto lontana, si staccano a un tratto distinti dal vasto, ronzante mormorio della città. Eppure la sua attenzione non era mai stata così vivamente e decisamente fissata; con un acuto e superstizioso presentimento di successo l'avvocato si nascose nell'ingresso del cortile.

I passi si avvicinavano rapidamente, e risuonaro-

[4] In inglese c'è il gioco di parole: *hide* = nascondere, *seek* = cercare.

no subito più forti appena svoltato l'angolo della strada. L'avvocato, sporgendosi dal vano, poté ben presto vedere con quale sorta di uomo avesse a che fare. Era basso di statura e vestito in modo dimesso, e il suo aspetto, anche a quella distanza, urtò fortemente la sensibilità dell'osservatore. Ma l'individuo si diresse verso la porta, attraversando la strada per fare più presto; e, mentre si avvicinava, si tolse di tasca una chiave, come fa chi sta arrivando a casa sua.

Il signor Utterson uscì dal nascondiglio e toccò l'uomo sulla spalla, quando gli passò accanto.

«Siete il signor Hyde, vero?»

Il signor Hyde fece un balzo indietro, con il respiro affannato e sibilante. Ma la paura fu solo momentanea; e, senza guardare in faccia l'avvocato, rispose abbastanza freddamente:

«Sì sono Hyde; cosa volete?»

«Vedo che state entrando in casa» rispose l'avvocato. «Io sono un vecchio amico del dottor Jekyll, sono il signor Utterson di Gaunt Street; dovete avere già sentito il mio nome; e, dato che vi ho incontrato così a proposito, ho pensato che potevate farmi entrare.»

«Non troverete il dottor Jekyll; è fuori casa,» rispose il signor Hyde, introducendo la chiave nella serratura. Poi, all'improvviso, ma sempre senza alzare lo sguardo: «Come fate a conoscermi?» chiese.

«Voi, da parte vostra, volete farmi un favore?» chiese il signor Utterson.

«Con piacere,» rispose l'altro, «di che si tratta?»

«Vorreste lasciarmi vedere la vostra faccia?» chiese l'avvocato.

Il signor Hyde parve esitare, poi, come dopo aver riflettuto, si mise di fronte all'interlocutore con aria di sfida; i due si guardarono fissi per qualche secondo.

«Ora potrò riconoscervi,» disse Utterson «e forse mi sarà utile.»

«Sì,» ribatté il signor Hyde «è bene che ci siamo incontrati; a proposito, eccovi il mio indirizzo.» E dette il numero di una via di Soho.

«Dio buono!», si disse Utterson. Forse anche quell'altro pensava al testamento? Ma tenne questo pensiero per sé, e si limitò a borbottare, in ringraziamento per l'indirizzo.

«E ora,» disse l'altro «ditemi come fate a conoscermi.»

«Dalle descrizioni,» fu la risposta.

«Quali descrizioni?»

«Abbiamo amici in comune,» disse il signor Utterson.

«Amici in comune?» fece eco il signor Hyde, con la voce un poco rauca. «E chi sono questi amici?»

«Jekyll, per esempio,» disse l'avvocato.

«Lui non vi ha mai detto nulla,» esclamò il signor

Hyde, in un impeto d'ira «non credevo che voi poteste mentire.»

«Suvvia,» disse Utterson «il vostro non è un linguaggio opportuno.»

L'altro scoppiò in una risata selvaggia; un attimo dopo con straordinaria destrezza aveva aperto la porta ed era scomparso nella casa.

Per un minuto l'avvocato restò lì, dove Hyde lo aveva lasciato, e pareva il ritratto dell'inquietudine. Poi cominciò a risalire la strada lentamente, fermandosi ogni due passi, con la mano sulla fronte, fortemente perplesso. Il problema che andava così considerando mentre camminava era di un genere che raramente si può risolvere. Il signor Hyde era pallido e pareva un nano, dava l'impressione della deformità, pur senza mostrare alcuna effettiva deformazione, aveva un sorriso sconcertante; si era comportato nei confronti dell'avvocato con una specie di crudele miscuglio di timidezza e arroganza; parlava con una voce rauca, bisbigliante e talora rotta; tutto questo deponeva contro di lui, ma, tutto sommato, non bastava ancora a spiegare lo strano disgusto, il disprezzo e la paura che incuteva al signor Utterson. «Ci deve essere qualcos'altro», disse tra sé il meditabondo avvocato. «C'è qualcosa di più, se riuscissi a scoprirla. Dio mi perdoni, ma quell'uomo non sembra una creatura umana! Ha qualcosa del troglodita, direi, o che sia la vecchia storia del dottor Fell?[5] Oppure si tratta della semplice irradiazione di un'anima malvagia che traspare e trasfigura l'involucro di argilla? Penso sia proprio così; perché, mio povero Harry Jekyll, se mai io vidi il marchio del diavolo su una faccia, è proprio su quella del vostro nuovo amico!»

Voltato l'angolo della strada, si apriva una piazza circondata da belle case antiche, ora per la maggior parte decadute dall'antica gloria, e affittate come appartamenti o camere a gente di ogni sorta e condizione: disegnatori, architetti, oscuri avvocati e agenti di losche imprese. Una di quelle case, però, la seconda dopo l'angolo, era ancora occupata tutta intera; e alla porta di questa casa, che aveva un'apparenza di ricchezza e di decoro, benché fosse ora immersa nell'oscurità, il signor Utterson si fermò a bussare. Un domestico ben vestito e anziano venne ad aprire.

«Il dottor Jekyll è in casa, Poole?» chiese l'avvocato.

«Guardo subito, signor Utterson» disse Poole, introducendo il visitatore, mentre parlava, in un'ampia e confortevole anticamera dal soffitto basso, con il pavimento di pietra, riscaldata, secondo l'uso delle case di campagna, da un grande camino acceso, e ammobiliata da ricchi armadi di quercia. «Volete aspet-

[5] Allusione ad alcuni celebri versetti di Thomas Brown presentati come libera traduzione da Marziale: «Non mi piaci dottor Fell / non so perché / questo so soltanto / non mi piaci, dottor Fell...»

tare qui vicino al fuoco, signore? Oppure volete che vi accenda in sala da pranzo?»

«Resto qui, grazie,» rispose l'avvocato; e avanzò, appoggiandosi all'alto parafuoco. L'ampio locale, ove si trovava solo ora, costituiva la passione del suo amico dottore; e Utterson stesso ne parlava sempre come della stanza più piacevole di tutta Londra. Ma quella sera l'avvocato aveva un brivido nel sangue; la faccia di Hyde era impressa fortemente nella sua memoria; avvertiva (cosa insolita) come una nausea e un disgusto della vita; e, in quella depressione, gli pareva di leggere una minaccia nei bagliori del fuoco riflessi sulla superficie levigata degli armadi e nelle ombre che fluttuavano sul soffitto. Si vergognò del sollievo che avvertì quando Poole tornò ad annunciare che il dottor Jekyll era uscito.

«Ho visto il signor Hyde entrare dalla porta della vecchia sala anatomica, Poole,» disse Utterson. «È cosa normale, in assenza del dottor Jekyll?»

«Normalissima, signor Utterson,» fece il domestico. «Il signor Hyde ha la chiave.»

«Sembra che il vostro padrone riponga una gran fiducia in quel giovane, Poole,» riprese l'altro, pensieroso.

«Sì, signore, infatti,» disse Poole «noi tutti abbiamo l'ordine di obbedirgli.»

«Io non credo di avere mai conosciuto il signor Hyde, vero?» chiese Utterson.

«Oh, no, signore. Non pranza mai qui» rispose il maggiordomo. «Lo vediamo pochissimo, da questa parte della casa; per lo più viene e se ne va dal laboratorio.»

«Bene, buona notte, Poole.»

«Buona notte, signor Utterson.»

E l'avvocato se ne andò verso casa, con il cuore molto pesante. «Povero Harry Jekyll», pensava, «mi posso sbagliare, ma temo che si trovi in cattive acque! Da giovane era una persona originale; molto tempo fa, certo; ma la legge divina non conosce cadute in prescrizione. Sì, dev'essere così: il fantasma di qualche passato errore, il cancro di qualche segreto disonore e la punizione arriva, *pede claudo*, dopo molti anni che la memoria ha scordato e l'amor proprio ha perdonato l'errore.»

E l'avvocato, spaventato da questo pensiero, prese a ripensare al proprio passato, frugando in ogni angolo della memoria, per cercare se, per caso, lo spauracchio di qualche vecchia ingiustizia balzasse alla luce. Il suo passato era senza macchia; pochi uomini avrebbero potuto leggere il bilancio della loro vita con meno apprensione; tuttavia il signor Utterson si sentì umiliato dalle molte cose cattive che aveva commesso, e si risollevò di nuovo, con una sincera e timorosa gratitudine, al pensiero delle molte che era stato sul punto di fare e che poi aveva evitate. Allora, tornando all'argomento di prima, concepì un lampo di speranza. «Questo signor Hyde, se lo si studiasse», pensò, «dovrebbe avere segreti anche lui, e segreti terribili, a giudicare dall'aspetto; segreti al confronto dei quali anche i peggiori del povero Jekyll finirebbero per brillare come la luce del sole. Le cose non possono continuare così. Mi viene freddo a pensare a quell'individuo che s'insinua come un ladro presso il letto di Harry; povero Harry, che risveglio! E che pericolo! Infatti, se quell'Hyde sospetta dell'esistenza del testamento, diventerà impaziente di ereditare. Sì, bisogna che io mi metta all'opera... purché Jekyll me lo permetta», aggiunse, «se soltanto Jekyll me lo permette.» Perché ancora una volta gli apparvero davanti agli occhi, chiare e inequivocabili, le singolari clausole del testamento.

III
Il dottor Jekyll era proprio tranquillo

Quindici giorni dopo, per buona sorte, il dottore offrì uno dei suoi eccellenti pranzi a cinque o sei dei suoi vecchi amici, tutti uomini intelligenti, stimabili e ottimi conoscitori del buon vino; il signor Utterson fece in modo di rimanere ultimo, dopo che gli altri se ne furono andati. Questo non era un fatto insolito, era accaduto molte altre volte. Se Utterson era apprezzato, lo era molto. Gli ospiti amavano trattenere il taciturno avvocato, quando gli altri invitati più frivoli e loquaci erano già con il piede sulla soglia; amavano starsene un poco in compagnia di quell'uomo discreto, godendo della solitudine e riposando la mente nel ricco silenzio dell'avvocato, dopo la fatica della forzata allegria. A questa regola, non faceva eccezione il dottor Jekyll; e ora, mentre sedeva dall'altro canto del focolare (era un uomo sulla cinquantina, di ampia corporatura, ben fatto, e dal volto liscio, che rivelava qualcosa di scaltro forse, ma recava impressi tutti i segni dell'intelligenza e della gentilezza), si poteva vedere dal suo sguardo che nutriva per il signor Utterson un sincero e caldo affetto.

«Volevo parlarvi Jekyll,» cominciò quest'ultimo. «Ricordate il vostro testamento?»

Un osservatore attento avrebbe potuto notare che quest'argomento era inopportuno; ma il dottore lo accolse allegramente.

«Mio povero Utterson,» disse «non siete fortunato con un cliente come me. Non ho mai visto un uomo tanto desolato quanto lo foste voi per il mio testamento; eccetto forse quel pedante di Lanyon di fronte a quelle che chiamava le mie eresie scientifiche. Oh, lo so, è una brava persona, non arrabbiatevi, una persona eccellente, e io ho sempre l'intenzione di avvicinarlo di più; ma non per questo è meno pedante; un pedante ignorante e rumoroso. Da nessun uomo fui mai tanto deluso.»

«Sapete bene che non l'ho mai approvato,» continuò Utterson, trascurando di proposito questo nuovo argomento.

«Il mio testamento? Sì certamente, lo so,» disse il dottore con una certa asprezza «me lo avete già detto.»

«Ebbene, ora ve lo torno a dire» continuò l'avvocato. «Ho saputo qualcosa circa il giovane Hyde.»

L'ampia faccia cordiale del dottor Jekyll sbiancò sino alle labbra, nei suoi occhi passò un lampo scuro.

«Non voglio sapere altro,» disse «questo è un argomento che avevamo deciso di lasciar cadere.»

«Quello che ho sentito dire è abominevole,» insisté Utterson.

«Non cambia nulla. Non capite la mia situazione,» ribatté il dottore, con una certa incoerenza di modi. «Io sono in una situazione penosa, Utterson; una situazione strana, molto strana. È una di quelle faccende che non si possono risolvere con le parole.»

«Jekyll,» disse Utterson, «voi mi conoscete: sono un uomo cui si può accordare fiducia. Confidatemi tutto, apertamente; e non dubito di potervi liberare da questo peso.»

«Mio buon Utterson,» disse il dottore, «questo da parte vostra è molto gentile, veramente molto affettuoso, e non posso trovare le parole per ringraziarvi. Vi credo; mi fiderei più di voi che di chiunque altro al mondo, sì, anche più di me stesso, se potessi scegliere; ma in realtà non è come voi pensate: non è grave a tal punto; e, per mettervi il cuore in pace, vi dirò una cosa: appena lo vorrò, potrò liberarmi di Hyde. Ve ne do la mia parola; e vi ringrazio ancora; e ancora aggiungerò una parolina, Utterson, che sono sicuro non prenderete male: questa è una faccenda privata, vi prego di non occuparvene.»

Utterson rifletté un minuto, guardando il fuoco.

«Non dubito che abbiate perfettamente ragione» disse infine, alzandosi.

«Bene, ma, dato che abbiamo toccato questo argomento, e spero per l'ultima volta,» continuò il dottore, «c'è un punto che vorrei capiste. Io mi interesso veramente del povero Hyde. So che lo avete visto; me lo ha detto; e temo che sia stato duro con voi. Ma io provo sinceramente un grande, grandissimo interesse per quel giovane; e, se dovessi scomparire, Utterson, vorrei che mi prometteste di appoggiarlo e di difendere i suoi interessi. Credo che lo fareste, se sapeste tutto; mi allevviereste di un gran peso se mi faceste questa promessa.»

«Non posso dichiarare che mi riuscirà mai di aver simpatia per lui,» disse l'avvocato.

«Non vi chiedo questo,» pregò Jekyll, posando una mano sul braccio dell'interlocutore «vi chiedo solo di essere giusto; vi chiedo solo di aiutarlo per amor mio, quando non sarò più in vita.»

Utterson trasse un profondo sospiro.

«Va bene,» disse «lo prometto.»

IV
L'assassinio Carew

Quasi un anno dopo, nel mese di ottobre del 18.., Londra venne messa sottosopra da un delitto di singolare ferocia, e reso ancor più notevole per l'alta posizione sociale della vittima. I particolari erano pochi e sconcertanti. Una domestica che viveva sola in una casa non lontana dal fiume era salita per andare a letto circa alle undici. Sebbene nelle ore piccole la nebbia avvolgesse la città, la prima parte della notte era stata limpida, e il vicolo sul quale si affacciava la finestra della donna era chiaro e illuminato dalla luna piena. Pare che la donna fosse di indole romantica, poiché sedette sul suo baule, che stava proprio sotto la finestra, e s'immerse nelle fantasticherie. Non s'era mai sentita (soleva dire, in un fiume di lacrime, quando raccontava questa storia) tanto in pace con tutta l'umanità né in migliore disposizione d'animo verso il mondo intero. E, mentre sedeva lì, notò un signore d'età, dai capelli bianchi e dal bell'aspetto che s'avanzava nel vicolo; poi un altro signore molto piccolo gli procedette incontro ma la donna vi prestò da principio poca attenzione. Quando i due giunsero a portata di voce (proprio sotto gli occhi della ragazza), l'uomo più vecchio s'inchinò e s'avvicinò all'altro con molto ossequio. Non pareva che l'argomento del suo discorso fosse molto importante; infatti, dai suoi gesti, sembrava in certi momenti che chiedesse soltanto la strada; ma la luce lunare gli illuminava la faccia mentre parlava, e la ragazza si compiaceva a osservarlo, perché spirava una cortesia tanto innocua e di vecchio stampo, pur con qualcosa di altero, come un ben radicato orgoglio. Ora lo sguardo della donna passò all'altro uomo, e fu sorpresa di riconoscere in lui un certo signor Hyde, che era venuto un giorno in casa del suo padrone, e per il quale aveva provato disgusto. Il signor Hyde aveva in mano un pesante bastone, con il quale giocherellava; ma non rispondeva nulla, e pareva ascoltare con una malcelata impazienza. Poi, d'improvviso, scoppiò in un impeto d'ira, battendo il piede a terra, brandendo il bastone e comportandosi (secondo la descrizione della ragazza) come un pazzo. Il vecchio signore fece un passo indietro, con l'aria di chi è molto sorpreso e anche un poco offeso; allora il signor Hyde oltrepassò ogni limite, e lo gettò in terra. Poi, con scimmiesca furia, lo calpestò, tempestandolo con una gragnuola di colpi, sotto i quali si udivano scricchiolare le ossa e il corpo rimbalzava sulla strada. All'orrore di quella vista e di quel rumore, la domestica svenne.

Erano le due quando riprese i sensi, e chiamò la polizia. L'assassino era ormai lontano; ma la vittima giaceva lì in mezzo al vicolo, incredibilmente sfigurata. Il bastone con il quale era stato commesso il delitto, benché fosse di legno molto raro e solido e pesante, s'era rotto a metà sotto la foga di quella insensata ferocia; uno dei pezzi era rotolato nel rigagnolo vicino, e l'altro, senza dubbio, era stato portato via dall'assassino. Addosso al cadavere vennero rinvenuti un portamonete e un orologio d'oro; ma nessuna carta, tranne una busta sigillata e affrancata, che probabilmente il malcapitato stava portando alla posta, e che portava il nome e l'indirizzo del signor Utterson.

La busta fu recapitata all'avvocato la mattina dopo, prima che si alzasse; egli appena la ebbe sotto gli occhi e seppe dell'accaduto, si lasciò sfuggire una solenne imprecazione.

«Non dirò nulla sinché non avrò visto il cadavere,» disse. «Può essere una faccenda molto seria: abbiate la gentilezza di aspettare che mi vesta.»

E con la stessa aria preoccupata consumò in fretta la prima colazione e si fece condurre al posto di polizia ove il cadavere era stato trasportato. Appena entrato, l'avvocato annuì.

«Sì,» disse «lo riconosco. Mi duole dire che si tratta di Sir Danvers Carew.»

«Dio buono, signore,» esclamò l'ufficiale «è possibile?»

Poi i suoi occhi s'illuminarono di ambizione professionale.

«La faccenda farà molto chiasso,» disse «e forse voi potreste aiutarci a scoprire l'assassino.» E prese a narrare brevemente quello che la ragazza aveva visto, mostrando il bastone rotto.

Il signor Utterson aveva già sussultato all'udire il nome di Hyde; ma, quando gli misero davanti il bastone, non ebbe più dubbi: rotto e rovinato come era, lo riconobbe per un bastone che lui stesso aveva regalato molti anni prima al dottor Jekyll.

«Questo signor Hyde è una persona di bassa statura?» domandò.

«Particolarmente basso e particolarmente cattivo, così almeno lo descrive la cameriera,» disse l'ufficiale.

Il signor Utterson rifletté un attimo; poi, alzando la testa, disse:

«Se venite con me nella mia carrozza, credo di potervi condurre alla sua abitazione.»

Erano circa le nove di mattina, e c'era la prima nebbia della stagione. Un gran mantello color cioccolato si stendeva nel cielo, ma il vento spazzava continuamente via quel cumulo di vapori; perciò mentre la carrozza avanzava per le vie, il signor Utterson poteva contemplare varie sfumature e gradazioni di luce; in certi punti era nero come al calar della notte, in altri era denso, sporco, marrone come luci di una strana conflagrazione; in altri ancora, per un attimo la nebbia si lacerava completamente e un pallido raggio di luce ammiccava attraverso i vapori inquieti. Il cupo quartiere di Soho, visto sotto quei riflessi mutevoli, con le umide vie e i passanti sudici, i lampioni, che non erano mai stati spenti, o che erano stati accesi di nuovo per combattere la nuova tetra invasione di oscurità, pareva all'avvocato il ghetto di una città d'incubo. Pure i pensieri dell'avvocato erano profondamente tetri; e, gettando un'occhiata al compagno di viaggio, si rese conto di provare quel terrore della legge e dei suoi funzionari, che può alle volte assalire anche l'uomo più onesto.

Quando la carrozza si arrestò davanti alla porta indicata, la nebbia si sollevò un poco e lasciò vedere una strada lurida, una taverna, una trattoria francese d'infimo ordine, un negozio di vendita al minuto di erbaggi, molti bimbi cenciosi radunati sulle soglie, e molte donne di varie nazionalità che passavano con la loro chiave in mano, per andare a bere un cicchetto mattutino; poi la nebbia calò di nuovo, color dell'ombra, e lo isolò da quel volgare scenario. Quella era la casa dell'amico prediletto di Henry Jekyll, dell'erede di un quarto di milione di sterline.

Una vecchia dalla faccia color avorio e dai capelli argentei aprì la porta. Aveva un'espressione cattiva, smussata dall'ipocrisia, ma i suoi modi erano compiti. Sì, disse, quella era la casa del signor Hyde, ma lui non si trovava in casa; quella notte era tornato molto tardi, ed era uscito di nuovo dopo neppure un'ora; non c'era nulla di strano in quel fatto; le abitudini del signor Hyde erano molto irregolari, ed era spesso assente; ad esempio, erano quasi due mesi che non lo si vedeva, prima del ritorno di quella notte.

«Benissimo, allora, vorremmo vedere la sua abitazione» disse l'avvocato; e, quando la donna cominciò a protestare ch'era impossibile, aggiunse: «Farei meglio a dirvi chi è questa persona: è l'ispettore Newcomen di Scotland Yard.»

Un lampo di feroce gioia apparve sulla faccia della donna.

«Ah!» disse «si trova nei guai! Cosa ha fatto?»

Il signor Utterson e l'ispettore si scambiarono una occhiata.

«Non sembra che il signor Hyde sia molto benvoluto» osservò il secondo.

«E ora, mia buona donna, lasciate che questo signore e io diamo uno sguardo intorno.»

Di tutta la casa, abitata solo dalla vecchia, il signor Hyde usava unicamente due stanze; ma queste erano ammobiliate con lusso e buon gusto. Uno stanzino era pieno di vini; i piatti erano d'argento e le tovaglie eleganti; un bel quadro era appeso alla parete, dono, come Utterson suppose, del dottor Jekyll, che era un buon intenditore; i tappeti erano pregiati e di colori gradevoli. In quel momento però le stanze rivelavano d'essere state messe sottosopra da poco, e in fretta: a terra giacevano indumenti, con le tasche rivoltate; i cassetti erano aperti, e sul focolare era un mucchio di cenere grigia, come se molte carte fossero state bruciate. Da quelle ceneri l'ispettore trasse l'estremità di un libretto verde di assegni, che aveva resistito all'azione del fuoco; l'altra metà del bastone fu trovata dietro una porta; e, poiché questa scoperta confermava i suoi sospetti, l'ispettore si dichiarò soddisfatto. Una visita alla banca, dove parecchie migliaia di sterline risultarono depositate a credito dell'assassino, completò la sua soddisfazione.

«Potete essere certo, signore,» egli disse al signor Utterson «ora è nelle mie mani. Deve aver perduto la testa, altrimenti non avrebbe mai lasciato lì quel bastone, né, soprattutto, avrebbe bruciato il libretto di assegni. Il denaro è la vita dell'uomo. Ora non ci resta altro da fare che aspettarlo alla banca, e arrestarlo.»

Quest'ultima cosa, però, non era molto facile a compiersi; infatti, il signor Hyde aveva pochi conoscenti, persino il padrone della domestica lo aveva veduto solo due volte; la sua famiglia non poté essere rintracciata; non era mai stato fotografato; e le poche persone che avrebbero potuto descriverlo non si trovarono affatto d'accordo, come accade ad osservatori comuni. Solo su un punto convenivano tutti: e cioè su quell'impressione angosciosa di inspiegabile deformità con la quale il fuggiasco colpiva chiunque lo guardasse.

V
Il caso della lettera

Era pomeriggio inoltrato quando il signor Utterson si presentò alla porta del dottor Jekyll; venne subito introdotto da Poole, e accompagnato giù attraverso le cucine e un cortile, che un tempo era stato un giardino, all'edificio conosciuto sia come laboratorio sia come sala anatomica. Il dottore aveva acquistato la casa dagli eredi di un celebre chirurgo; e, poiché il suo interesse andava più alla chimica che all'anatomia, aveva cambiato la funzione dell'edificio in fondo al giardino. Era la prima volta che l'avvocato veniva ammesso in quella parte dell'abitazione dell'amico; osservò con curiosità quella struttura cupa e senza finestre, e avvertì uno sgradevole senso di disagio mentre attraversava la sala, un tempo affollata di alacri studenti, e ora abbandonata, vuota e silenziosa, con i tavoli carichi di apparecchi chimici, il pavimento cosparso di canestri e paglia da imballaggio, la luce offuscata dalla cupola nebbiosa. A una estremità era una scala: saliva sino a una porta coperta di panno rosso; attraverso questa, il signor Utterson venne infine ricevuto nel gabinetto del dottore. Era un ampio locale, pieno di armadi a vetri, e arredato, fra l'altro, con una grande specchiera e una scrivania: tre polverose finestre a inferriata guardavano nel cortile. La fiamma ardeva nel focolare, sulla mensola del quale era accesa una lampada, perché la nebbia cominciava a penetrare anche nelle case; lì, vicino al fuoco, sedeva il dottor Jekyll, con un aspetto mortalmente affranto. Non si alzò per andare incontro all'ospite, ma gli tese una mano, e gli dette il benvenuto con voce alterata.

«Allora,» disse il signor Utterson, appena Poole fu uscito, «avete udito la notizia?»

Il dottore sussultò.

«Ho sentito gli strilloni dei giornali in piazza» disse. «L'ho udita dalla mia sala da pranzo.»

«Una parola sola,» disse l'avvocato «Carew era mio cliente, ma lo siete anche voi, perciò voglio sapere quello che faccio. Spero che non siate tanto pazzo da nascondere quell'individuo.»

«Utterson, giuro davanti a Dio,» esclamò il dottore «giuro che non poserò più gli occhi su di lui. Vi do la mia parola d'onore che non ho più nulla a che fare con lui a questo mondo. Tutto è finito. E infatti lui non ha bisogno del mio aiuto; voi non lo conoscete come lo conosco io; è in salvo, perfettamente in salvo; ricordate le mie parole: non si sentirà più parlare di lui.»

L'avvocato ascoltava, cupo; non gli piacevano quei modi febbrili, nel suo amico.

«Sembrate molto sicuro sul suo conto» disse «e spero che abbiate ragione, lo spero per voi. Se si arrivasse al processo, potrebbe apparire il vostro nome.»

«Sono sicurissimo sul suo conto,» replicò Jekyll «ho certe ragioni per esserne sicuro, che non posso rivelare a nessuno. Ma c'è una cosa sulla quale potete consigliarmi. Io ho... ho ricevuto una lettera; e non so se debbo mostrarla alla polizia o no. Mi piacerebbe lasciarla nelle vostre mani, Utterson; voi giudicherete saggiamente, ne sono certo; ho tanta fiducia in voi.»

«Voi temete, suppongo, che questa lettera possa farlo scoprire?» chiese l'avvocato.

«No» disse l'altro. «Non posso dire di preoccuparmi della sorte di Hyde; è finita con lui. Penso a me stesso, questa odiosa faccenda mi ha abbastanza compromesso.»

Utterson meditò un attimo: lo sorprendeva l'egoismo dell'amico, eppure provava sollievo: «Bene,» disse infine «fatemi vedere la lettera.»

La lettera era scritta con una curiosa calligrafia diritta, ed era firmata «Edward Hyde»: diceva, abbastanza brevemente, che il benefattore dello scrivente, il dottor Jekyll, che lui aveva così indegnamente ripagato per le mille generosità ricevute, non doveva essere in pena per la sua salvezza, perché aveva un modo di fuggire, nel quale riponeva la massima fiducia.

L'avvocato fu contento di quella lettera; essa conferiva all'intimità fra quei due uomini un aspetto migliore di quanto avesse immaginato; e rimproverò se stesso per certi sospetti nutriti in passato.

«Avete la busta?» chiese.

«L'ho bruciata,» rispose Jekyll, «prima di pensare a quello che facevo. Ma non recava alcun timbro postale. La lettera è stata portata a mano.»

«Posso conservarla, e rifletterci un poco?» chiese Utterson.

«Desidero che voi giudichiate per me, interamente» fu la risposta. «Io ho perso la fiducia in me stesso.»

«Bene, ci penserò» rispose l'avvocato. «E ancora una parola: è stato Hyde a dettare le clausole del vostro testamento, riferentisi a una eventuale vostra scomparsa?»

Il dottore parve preso da un principio di deliquio; strinse le labbra, e annuì.

«Lo sapevo» disse Utterson. «Aveva l'intenzione di assassinarvi. L'avete scampata per caso.»

«Ho avuto molto di più,» rispose il dottore solennemente, «ho avuto una lezione... oh, Dio. Utterson, che lezione ho avuto!» E si coprì la faccia per un attimo con tutt'e due le mani.

Uscendo, Utterson si fermò per scambiare due parole con Poole.

«A proposito,» disse, «oggi è stata portata una lettera: che tipo era il messaggero?»

Ma Poole dichiarò che non era arrivato nulla, se non per posta.

«E solamente circolari» aggiunse.

Questa notizia mandò via il visitatore con i timori rinnovati. Indubbiamente la lettera doveva essere entrata per la porta del laboratorio; forse anche era stata scritta nel gabinetto stesso; e, se era così, doveva essere giudicata differentemente, e considerata con maggior cautela. Gli strilloni dei giornali, per la strada, si sgolavano:

«Edizione straordinaria. Orribile delitto, l'uccisione di un membro del Parlamento!» Quella era l'orazione funebre di un amico e cliente; l'avvocato non poté non avvertire una certa apprensione, per timore che il buon nome di un altro fosse coinvolto nello scandalo. Era per lo meno una decisione delicata quella che doveva prendere; e lui, che era sempre stato così sicuro di sé, cominciò a provare il desiderio di un consiglio. Non poteva ottenerlo in modo diretto; ma forse, pensò, poteva procurarselo con qualche artificio.

Poco dopo, sedeva ad un lato del proprio focolare, di fronte al signor Guest, il suo primo scrivano; in mezzo a loro, a una distanza ben calcolata dal fuoco, era una bottiglia di uno speciale vino vecchio, che aveva riposato a lungo, lontano dalla luce, nella cantina della casa. La nebbia indugiava ancora sulla città sommersa, dove i lampioni ardevano come carbonchi: e, attraverso quelle soffici nuvole basse, il ritmo della vita cittadina continuava nelle grandi arterie, con un rumore di forte vento. La stanza era rallegrata dalla vampa del focolare. Nella bottiglia gli acidi s'erano da molto tempo disciolti; il colore imperiale s'era smorzato con il tempo, come si trasforma il colore delle vetrate a piombo; e lo splendore dei caldi pomeriggi autunnali nei vigneti sulle colline, era pronto a librarsi per disperdere le nebbie londinesi. Insensibilmente l'avvocato si calmava. A nessun'altra persona nascondeva meno i suoi segreti che al signor Guest; e non sempre era sicuro di nasconderne quanti ne avrebbe voluto. Guest era stato spesso a casa del dottore, per affari; conosceva Poole; e non poteva non aver sentito parlare della familiarità del signor Hyde con quella casa; avrebbe potuto trarne delle conclusioni: tanto valeva, allora, che vedesse una lettera che metteva le cose a posto. Inoltre, Guest, essendo uno studioso di grafologia, avrebbe considerato naturale e doverosa la confidenza. Lo scrivano era anche un uomo saggio; e non avrebbe potuto leggere un così strano documento senza pronunciare un'osservazione; su quell'osservazione il signor Utterson avrebbe potuto regolare le proprie mosse future.

«È una faccenda triste, questa di Sir Danvers» disse.

«Sì, certo. Ha impressionato una gran parte dell'opinione pubblica» replicò Guest. «Quell'uomo, certo, doveva essere pazzo.»

«Mi piacerebbe avere la vostra opinione sul fatto» replicò Utterson. «Io ho qui un documento di sua mano; la cosa resta fra noi, perché non so ancora quello che ne farò; è una brutta faccenda. Ma eccolo qui, questo fa per voi: l'autografo di un assassino.»

Gli occhi di Guest brillarono, prese immediatamente a studiare la lettera con passione.

«No, signore,» disse «questo non è un pazzo. Ma ha una curiosa scrittura.»

«Ma è anche un curioso scrittore» aggiunse l'avvocato.

In quel momento entrò un domestico con un biglietto.»

«È del dottor Jekyll, signore?» chiese lo scrivano. «Mi pare di riconoscere la scrittura.» È un biglietto personale, signor Utterson?»

«Soltanto un invito a pranzo. Perché? Volete vederlo?»

«Un attimo. Vi ringrazio, signore» e lo scrivano pose i due fogli uno accanto all'altro, e confrontò diligentemente le scritture. «Grazie signore,» disse infine restituendoli tutt'e due; «è un autografo interessantissimo.»

Vi fu una pausa, durante la quale il signor Utterson sostenne un intimo combattimento.

«Perché lo avete confrontato, Guest?» chiese poi, ad un tratto.

«Ecco, signore,» rispose lo scrivano, «esiste una rassomiglianza piuttosto singolare: le due scritture sono in molti punti identiche: solo inclinate in modo diverso.»

«Strano!» disse Utterson.

«Come voi dite, è molto strano» rispose Guest.

«Io non parlerei di questo biglietto, sapete» disse l'avvocato.

«No, signore» disse lo scrivano. «Mi rendo conto.»

Ma appena il signor Utterson si trovò solo, quella notte, chiuse il biglietto nella cassaforte, ove esso riposò d'allora in poi. «Come?» pensò «Henry Jekyll può fare un falso per un assassino?» E il sangue gli gelò nelle vene.

VI
Lo strano incidente del dottor Lanyon

Passava il tempo: una taglia di migliaia di sterline era stata offerta come ricompensa a chi avesse rintracciato l'assassino. La morte di Sir Danvers, infatti, era considerata un'offesa alla comunità; ma il signor Hyde era scomparso dal raggio delle ricerche della polizia, quasi non fosse mai esistito. Era stata scoperta gran parte del suo passato, ed era disonorevole: si diffusero storie sulla crudeltà di quell'uomo, così duro e violento, sulla sua vergognosa vita, sulle sue strane relazioni, sull'odio che pareva aver sempre circondato la sua carriera; ma sul luogo dove viveva attualmente, non una parola. Dal giorno che aveva lasciato quella casa di Soho, la mattina del delitto, era semplicemente sparito; e a poco a poco, con il passare del tempo il signor Utterson cominciò a riaversi dal suo stato di ansietà, e a sentirsi più tranquillo nell'animo. La morte di Sir Danvers era secondo lui più che compensata dalla scomparsa del signor Hyde. Ora che la malvagia influenza era cessata, una nuova vita incominciava per il dottor Jekyll. Egli uscì dalla sua reclusione, rinnovò i legami con gli amici, e diventò ancora una volta il loro ospite familiare. Mentre era sempre stato famoso per la generosità, ora non lo fu di meno per la religiosità. Era attivo, stava sempre all'aria aperta, e faceva del bene; la sua faccia pareva aprirsi e illuminarsi, come per un'intima coscienza dei servigi che rendeva; e per più di due mesi il dottore visse in pace.

L'otto di gennaio il signor Utterson aveva cenato in casa di Jekyll con un piccolo gruppo di amici; c'era anche Lanyon; e l'occhio dell'ospite passava dall'uno all'altro come ai vecchi tempi, quando i tre erano amici inseparabili. Il dodici, e poi di nuovo il quattordici, all'avvocato venne chiusa la porta in faccia.

«Il dottore sta sempre in casa,» disse Poole, «e non vuole vedere nessuno.»

Il giorno quindici l'avvocato tentò di nuovo, e ancora non venne ricevuto; essendo abituato da due mesi a vedere l'amico tutti i giorni, questo ritorno del dottore alla solitudine gli oppresse l'animo.

La quinta sera invitò Guest a cena, e la sesta sera si recò dal dottor Lanyon. Lì almeno non gli veniva negata l'ospitalità; ma, appena entrato, restò colpito dalla trasformazione che era avvenuta nell'aspetto del dottore, che portava scritta ben leggibile in faccia una sentenza di morte. Quell'uomo dal colore solitamente roseo, appariva pallido, magro, era visibilmente più calvo e più vecchio; eppure non furono tanto questi segni di decadimento fisico a suscitare la meraviglia dell'avvocato, quanto un certo sguardo e un modo di agire del dottore che sembravano rivelare un terrore profondamente radicato nell'animo. Non era possibile che il dottore temesse la morte; eppure Utterson era indotto a sospettare proprio questo. «Sì», pensava, «è un dottore, e deve essere cosciente del suo stato, deve sapere che i suoi giorni sono contati; e non può sopportare questo pensiero.» Ma, quando Utterson osservò che il suo aspetto era cattivo, Lanyon dichiarò con aria di grande fermezza di essere un uomo condannato.

«Ho avuto un colpo,» disse, «e non mi riprenderò più. Sarà questione di settimane. Ebbene, la vita è stata piacevole; l'ho apprezzata; sì, signore, la vita mi piaceva. A volte penso che, se sapessimo tutto, saremmo molto più contenti di andarcene.»

«Anche Jekyll è malato,» osservò Utterson. «Lo avete visto?»

Ma la faccia di Lanyon si trasformò, egli sollevò una mano tremante.

«Non voglio più vederlo né sentir parlare di lui» disse con voce alta e malsicura. «L'ho finita del tutto con quella persona; e vi supplico di risparmiarmi ogni allusione a un uomo che considero come morto.»

«Oh, oh!» esclamò Utterson; poi, dopo una lunga pausa: «Io non posso fare nulla?» domandò. «Noi siamo tre vecchi amici, Lanyon; e non vivremo abbastanza, ormai, per avere altri amici.»

«Non si può fare nulla,» rispose Lanyon «chiedetelo a lui stesso.»

«Non vuole ricevermi» rispose l'avvocato.

«Non mi stupisce» fu la risposta; «un giorno, dopo che io sarò morto, Utterson, voi potrete arrivare a capire il giusto e l'ingiusto di tutto questo: io non posso dirvelo. Nel frattempo, se riuscite a stare qui a parlare con me d'altre cose, per l'amor di Dio, restate, e fatelo; ma, se non riuscite a dimenticare questo maledetto argomento, allora, in nome di Dio, andatevene, perché io non posso sopportare un simile soggetto.»

Appena arrivato a casa, Utterson sedette alla scrivania e scrisse a Jekyll, lamentandosi di essere stato escluso dalla sua casa, e chiedendogli la causa dell'infelice rottura con Lanyon; il giorno dopo gli giunse una lunga risposta, in certi punti scritta molto pateticamente, in altri incomprensibile e misteriosa. La lite con Lanyon era irreparabile. «Io non voglio rimproverare il nostro vecchio amico», scriveva Jekyll, «ma sono d'accordo con lui che non ci dobbiamo più vedere. Da questo momento ho l'intenzione di fare una vita estremamente segregata; non dovete meravigliarvi né dubitare della mia amicizia, se la mia porta è spesso chiusa anche per voi. Dovete permettere che io segua il mio oscuro cammino. Mi sono tirato addosso una punizione e un pericolo che non posso neppure nominare. Se sono il primo dei peccatori, io sono anche il primo a soffrire. Non pensavo che questo mondo fosse in grado di contenere sofferenze e terrori tanto innominabili. E voi potete fare una sola cosa, Utterson, per alleviare questo mio destino, e cioè rispettare il mio silenzio.»

Utterson restò sconcertato; l'oscura influenza di Hyde era scomparsa, il dottore era ritornato alle antiche occupazioni e ai vecchi amici; una settimana prima, questa prospettiva sorrideva con tutte le promesse di una serena e onorata vecchiaia; e ora, in un attimo, amicizie, tranquillità di spirito, tutto il suo tenore di vita risultavano di nuovo sconvolti. Un cambiamento così grave e inatteso rasentava la pazzia; ma, considerando il modo di fare di Lanyon, e le sue parole, ci doveva essere una ragione più grave a tutto questo.

Una settimana dopo il dottor Lanyon si mise a letto, e, in meno d'una quindicina di giorni, era morto. La notte seguente a quel funerale, dal quale era stato molto rattristato, Utterson chiuse la porta del proprio ufficio, e, seduto vicino al lume di una malinconica candela, estrasse e si pose davanti una busta che recava l'indirizzo tracciato dalla mano dell'amico morto e recava il suo sigillo. «Personale: soltanto per il signor G.J. Utterson; in caso di suo decesso, da distruggersi senza essere letta.» Queste enfatiche parole erano sulla busta; e l'avvocato aveva paura ad aprirla. «Ho seppellito un amico oggi», pensò, «se questa lettera costasse la morte di un altro?» Poi si rimproverò questo timore come una mancanza di lealtà, e ruppe i sigilli; la busta ne conteneva un'altra, similmente sigillata, e questa portava scritto: «Da non aprirsi prima della morte o della scomparsa del dottor Henry Jekyll». Utterson non poteva credere ai propri occhi. Sì, si trattava di scomparsa; anche qui, come nel folle testamento che da molto tempo aveva restituito al suo autore, anche qui l'idea della scomparsa era unita al nome del dottor Henry Jekyll. Ma nel testamento, quell'idea era nata dalla sinistra suggestione di Hyde; ed era lì con uno scopo sin troppo chiaro e orribile. Ma, scritta dal pugno di Lanyon, quella parola cosa poteva significare? L'avvocato provò un'enorme curiosità di trascurare la proibizione ed arrivare subito in fondo al mistero; ma l'onore professionale e la promessa fatta all'amico morto erano obblighi troppo vincolanti: e la busta restò a dormire nell'angolo più riposto della cassaforte.

Ma una cosa è mortificare la curiosità, e un'altra è vincerla; e si può proprio dubitare che, da quel giorno in poi, Utterson desiderasse la compagnia dell'amico superstite con lo stesso ardore. Pensava a Jekyll con bontà; ma i suoi pensieri erano inquieti e timorosi. Andò, sì, a trovarlo, ma provava un senso di sollievo quando non veniva ricevuto; forse dentro di sé preferiva parlare con Poole sulla soglia, circondato dall'aria e dai rumori della città, piuttosto che essere accolto in quella casa di volontaria reclusione, e sedersi a parlare con quell'imperscrutabile prigioniero. Poole non aveva, in realtà, piacevoli novità da raccontare. Il dottore, apparentemente, ora più che mai restava confinato nel suo gabinetto sopra il laboratorio, dove talvolta dormiva persino; era depresso, era diventato silenzioso, e non leggeva; pareva che avesse qualcosa nell'animo. Utterson si abituò tanto all'invariabile carattere di questi rapporti, che a poco a poco diradò la frequenza delle visite.

VII
L'episodio della finestra

Una domenica, il signor Utterson era fuori per la solita passeggiata con il signor Enfield, e accadde loro di passare ancora una volta per la strada dei negozi; e, quando si trovarono di fronte alla famosa porta, tutt'e due si fermarono a guardarla.

«Ebbene,» disse Enfield «quella storia è finita, se Dio vuole. Non vedremo più il signor Hyde.»

«Spero di no» disse Utterson. «Non vi ho mai detto di averlo visto una volta, e di aver provato come voi un senso di repulsione?»

«Una cosa implica l'altra» rispose Enfield. «A proposito, che asino mi dovete aver giudicato, per non aver saputo che questa era un'entrata posteriore della casa del dottor Jekyll! In parte è stata colpa vostra, se l'ho scoperto.»

«Così, lo avete scoperto, eh?» disse Utterson. «Ma, se è così, possiamo inoltrarci nel cortile, e dare un'occhiata alle finestre. A dirvi la verità, mi preoccupa quel povero Jekyll; e, anche dall'esterno, mi sembra che la presenza di un amico possa fargli bene.»

Il cortile era molto freddo e un poco umido, pieno di prematura oscurità, sebbene il cielo, fuori, fosse ancora chiaro della luce del tramonto. La finestra centrale, delle tre, era aperta per metà; seduto proprio davanti a essa, respirando l'aria con infinita tristezza, come un prigioniero sconsolato, Utterson vide il dottor Jekyll.

«Ehi! Jekyll!» gridò, «spero che stiate meglio.»

«Sono molto giù, Utterson,» rispose il dottore in tono lugubre, «molto giù. Ma non durerà molto, grazie a Dio!»

«Restate troppo in casa!» disse l'avvocato, «dovreste uscire, per attivare la circolazione, come faccio io con il signor Enfield. Questo è mio cugino, il signor Enfield, il dottor Jekyll. Venite, ora. Prendete il cappello e venite a fare una breve passeggiata con noi.»

«Siete molto buono,» sospirò l'altro, «e mi piacerebbe assai; ma no, no, no, è proprio impossibile; non oso. Ma, veramente, Utterson, sono molto contento di vedervi; è proprio un grande piacere per me; vorrei invitare voi e il signor Enfield a salire, ma il posto non è proprio adatto.»

«Ebbene, allora» disse l'avvocato, di buon animo, «la cosa migliore che possiamo fare è restare quaggiù e parlare con voi da dove ci troviamo.»

«È quello che volevo arrischiarmi a proporvi» rispose il dottore con un sorriso. Ma aveva appena pronunciato queste parole che il sorriso scomparve a un tratto dalla sua faccia e fu seguito da un'espressione di così abietto terrore e di così abietta disperazione che agghiacciò il sangue dei due amici che si trovavano lì sotto. Essi lo videro solo in un lampo, perché la finestra venne istantaneamente chiusa; ma quel lampo era stato sufficiente, ed essi si voltarono, e uscirono dal cortile senza una parola. Pure in silenzio attraversarono la strada; e, solo quando si trovarono in una via vicina, dove persino di domenica si svolgeva un certo traffico, il signor Utterson finalmente si provò a guardare il suo compagno. Erano tutt'e due pallidi; e nel loro sguardo era un identico orrore.

«Dio ci perdoni, Dio ci perdoni» disse il signor Utterson.

Ma il signor Enfield si limitò a scuotere il capo con molta serietà, e continuò a camminare in silenzio.

VIII
L'ultima notte

Il signor Utterson era seduto accanto al camino, una sera dopo cena, quando fu sorpreso di ricevere la visita di Poole.

«Santo cielo, Poole, cosa vi porta qui?» esclamò; poi, guardandolo di nuovo. «Cosa c'è?» chiese. «Il dottore sta male?»

«Signor Utterson,» disse l'uomo, «c'è qualcosa che non va.»

«Prendete una sedia, e qui c'è un bicchiere di vino per voi» disse l'avvocato. «E, ora, calmatevi, e ditemi chiaro quello che volete.»

«Voi conoscete i modi del dottore, signore,» rispose Poole «e come se ne stia chiuso in casa. Ebbene, ora è di nuovo chiuso nel suo gabinetto; e la cosa non mi va, vorrei poter morire se mi va. Signor Utterson, io ho paura.»

«Brav'uomo,» disse l'avvocato, «siate esplicito. Di cosa avete paura?»

«Ho avuto paura per una settimana,» rispose Poole, trascurando completamente la domanda «e non posso più resistere.»

L'aspetto dell'uomo confermava ampiamente le parole; le sue maniere erano penosamente mutate; e, tranne nel momento in cui aveva per la prima volta rivelato il suo terrore, non aveva ancora guardato in faccia l'avvocato. Anche ora, sedeva con il bicchiere di vino intatto posato sul ginocchio, e con gli occhi fissi in un angolo del pavimento.

«Non resisto più» ripeté.

«Su, su,» disse l'avvocato, «capisco che dovete avere una buona ragione, Poole; capisco che ci deve essere qualcosa di serio. Cercate di dirmi di che si tratta.»

«Credo che ci sia qualcosa di vergognoso» disse Poole con voce rauca.

«Di vergognoso!» esclamò l'avvocato alquanto allarmato e piuttosto incline ad irritarsi, di conseguenza. «Di che parlate? Cosa volete dire?»

«Io non oso parlare, signore,» fu la risposta, «ma, se volete venire con me, lo vedrete voi stesso.»

Il signor Utterson per tutta risposta si alzò, prese il cappello e il soprabito, con meraviglia osservò il grande sollievo che apparve sul volto del maggiordomo, e, con non minore sorpresa forse, il fatto che il bicchiere di vino fosse ancora intatto, quando l'altro lo depose per seguirlo.

Era una brutta, fredda e ventosa notte di marzo, con una pallida luna, che se ne stava coricata come se il vento l'avesse inclinata, e con una fuga di nubi leggere e trasparenti. Il vento rendeva difficile parlare, e faceva affiorare il sangue in faccia. Pareva aver spazzato le strade, insolitamente vuote di passanti; il signor Utterson pensò che non aveva mai veduto quella parte di Londra tanto deserta. Avrebbe desiderato il contrario; mai in vita aveva provato un così acuto desiderio di vedere e toccare i propri simili; perché, per quanto lottasse, nella sua mente s'era insinuato un cupo presentimento di calamità. La piazza, quando vi giunsero, era tutta piena di vento e di polvere, e i sottili alberi nel giardino si piegavano lungo l'inferriata. Poole, che per tutta la strada aveva camminato uno o due passi avanti, ora si ritrasse nel mezzo del marciapiede, e, nonostante il freddo pungente, si tolse il cappello e si asciugò la fronte con un fazzoletto rosso. Sebbene avessero camminato in fretta, quello non era sudore di fatica, era un'estrema angoscia a imperlargli la fronte; infatti la faccia di Poole era bianca e la sua voce, quando parlò, suonò aspra e rotta.

«Ebbene, signore, eccoci qui,» disse, «e Dio voglia che non sia accaduto nulla di male.»

«Speriamo, Poole» disse l'avvocato.

Così detto il maggiordomo bussò alla porta in modo molto discreto; la porta si aprì con la catena di sicurezza, poi una voce chiese dall'interno:

«Siete voi, Poole?»

«Sono io, aprite pure» disse Poole.

L'ingresso, quando entrarono, era chiaramente illuminato; il fuoco ardeva con una bella fiamma; intorno al focolare tutta la servitù, uomini e donne, se ne stava raggruppata come un gregge. Nel vedere il signor Utterson, la cameriera scoppiò in un isterico piagnisteo; e la cuoca esclamando: «Dio sia benedetto! È il signor Utterson!» si slanciò avanti, come per abbracciarlo.

«Cosa succede? Che c'è? Siete tutti qui?» chiese l'avvocato con disappunto. «Non è regolare, il vostro padrone ne sarebbe tutt'altro che contento.»

«Sono tutti spaventati» disse Poole.

Seguì un profondo silenzio, nessuno protestava; solo la cameriera alzò la voce, ora piangeva forte.

«Tacete!» le disse Poole, con un tono cattivo che denotava come avesse i nervi tesi; infatti, quando la ragazza aveva improvvisamente alzato il tono del suo pianto, tutti avevano sussultato, si erano voltati verso la porta della sala con espressione di terrore e di attesa.

«E ora,» continuò il maggiordomo, rivolgendosi ad uno sguattero «portami una candela, e mettiamo a posto subito questa faccenda.» Poi pregò il signor Utterson di seguirlo, e lo condusse verso il cortile interno.

«Adesso, signore,» disse «camminate più piano che potete. Voglio che sentiate, ma che non vi facciate udire. E badate, signore, se per caso vi dicesse di entrare, non entrate.»

I nervi del signor Utterson, a quella inattesa conclusione, ebbero una tale scossa che quasi perse l'equilibrio; ma l'avvocato si riprese, e seguì il domestico nel laboratorio e attraverso la sala anatomica, fra tutte le casse e le bottiglie, sino ai piedi della scala. Qui Poole gli fece segno di fermarsi da un lato, e di mettersi in ascolto; intanto lui, depositando la candela e raccogliendo tutto il proprio ardire, salì la scala e bussò con mano malsicura sulla stoffa rossa della porta del gabinetto privato.

«Signore, c'è il signor Utterson che vuole vedervi» disse; e così dicendo, ancora una volta fece cenno con forza, all'avvocato, di ascoltare.

Una voce rispose dall'interno in tono lamentoso:

«Ditegli che non posso vedere nessuno.»

«Grazie, signore» rispose Poole, con accento quasi di trionfo, e, prendendo la candela, riaccompagnò il signor Utterson attraverso il cortile nella grande cucina, ove il fuoco era spento e gli scarafaggi correvano sul pavimento.

«Signore,» disse guardando negli occhi il signor Utterson, «vi pare che quella fosse la voce del mio padrone?»

«Sembrava molto cambiata» rispose l'avvocato, molto pallido in faccia; ma ricambiò l'occhiata di Poole.

«Cambiata? Ebbene, sì, lo credo anch'io» disse il domestico. «Da vent'anni che mi trovo in questa casa, posso forse ingannarmi sulla voce del mio padrone? No, signore. Il mio padrone non c'è più. Non c'è da otto giorni, da quando lo udimmo gridare il nome di Dio; ma chi è lì dentro, al suo posto, e perché se ne sta lì, è una cosa che grida vendetta al cielo, signor Utterson!»

«Questo è un caso stranissimo, Poole; è una storia incredibile, amico mio» disse il signor Utterson, mordicchiandosi un dito. «Supponendo che sia come voi pensate, supponendo che il dottor Jekyll sia stato... ebbene, sia stato assassinato, cosa potrebbe indurre l'assassino a restarsene qui? È una cosa assurda, contraria alla logica.»

«Ebbene, signor Utterson, siete difficile da persuadere, ma mi proverò» disse Poole. «Tutta la scorsa settimana, dovete sapere, lui, o chiunque sia quello che vive nel gabinetto, ha gridato notte e giorno per avere una certa specie di medicina, che non riusciva a ottenere. A volte soleva – il mio padrone, cioè – scrivere i suoi ordini su un foglio di carta e gettarlo poi sulla scala. Questa settimana non abbiamo avuto altro: solo fogli di carta, la porta chiusa, i pasti li lasciava lì, e li ritirava solo quando non c'era nessuno che potesse vederlo. Ebbene, signore, sì, ogni giorno, e anche due o tre volte al giorno, ci sono stati ordini e lamentele, e io venivo mandato da tutti i farmacisti della città. Ogni volta che portavo a casa una cosa, trovavo un altro foglio che mi diceva di restituirla, perché non era pura, e un altro ordine per un'altra ditta. Quella medicina deve essere molto necessaria, signore, di qualsiasi cosa si tratti.»

«Avete conservato qualcuno di quei fogli?» chiese il signor Utterson.

Poole si frugò in tasca e ne estrasse un biglietto gualcito, che l'avvocato, chinandosi più vicino alla fiamma della candela, esaminò attentamente. Il foglietto portava scritto: «Il dottor Jekyll porge i suoi omaggi ai signori Maw. Li assicura che il loro ultimo campione è impuro e del tutto inutile al suo scopo attuale. Nell'anno 18.., il dottor J. acquistò una considerevole quantità di materiale dai signori M. Ora egli li prega di cercare con il massimo scrupolo e, se restasse ancora un poco dello stesso preparato, di mandarglielo immediatamente. La spesa non ha importanza. La necessità di questo preparato per il dottor Jekyll è vitale». Sin qui la lettera proseguiva abbastanza normalmente, ma a questo punto, con un improvviso scatto della penna, l'emozione dello scrivente apparve chiara. «Per amore di Dio» aggiungeva «trovatemi un poco di quella sostanza.»

«È uno strano biglietto» disse il signor Utterson; poi, severamente: «Come mai l'avete aperto?»

«Il commesso di Maw s'irritò, signore, e me lo restituì in malo modo» rispose Poole.

«Questa è indubbiamente la scrittura di Jekyll, vero?» riprese l'avvocato.

«Mi pare di sì» disse il domestico piuttosto arcigno; poi, con altro tono di voce: «Ma comunque sia, io l'ho veduto!»

«L'avete veduto?» ripeté il signor Utterson, «l'avete visto bene?»

«Certo!» disse Poole. «È andata così: sono arrivato all'improvviso nella sala anatomica dal cortile. Mi è parso che lui fosse sgusciato fuori per cercare quella droga, o quello che era; infatti, la porta del gabinetto era aperta, e lui era lì, in fondo alla stanza, che frugava tra le casse. Quando entrai alzò gli occhi, gettò una specie di grido, e scomparve di sopra, nel suo gabinetto. Solo per un minuto, l'ho visto, ma i capelli mi si erano drizzati sulla testa come aculei. Signore, se quello era il mio padrone, perché portava una maschera sulla faccia? Se quello era il mio padrone, perché aveva gridato come un sorcio in trappola, ed era fuggito davanti a me? Io sono stato tanto tempo al suo servizio. E poi...» S'interruppe, e si passò una mano sul viso.

«Queste sono tutte circostanze molto strane» disse il signor Utterson. «Ma credo di cominciare a vederci chiaro. Il vostro padrone, Poole, è semplicemente vittima di una di quelle malattie che torturano e deformano il malato; questa è la causa, a quanto mi sembra, dell'alterazione della voce; di quella maschera e dell'allontanamento dagli amici; della sua ansia di trovare il medicamento, per mezzo del quale il poveretto ha qualche speranza di guarigione, e Dio voglia che non resti deluso! Questa è la mia spiegazione: è abbastanza triste, Poole, sì, e pauroso a pensarci, ma è chiaro e naturale, logico, e ci libera da ogni esagerato allarme.»

«Signore» disse il domestico, con una sorta di pallore in viso «quello non era il mio padrone, è certo. Il mio padrone...» (e qui si guardò intorno e cominciò a parlare a bassa voce) «è un uomo alto e ben fatto, e quello era poco più di un nano.»

Utterson tentò di protestare.

«Oh, signore,» esclamò Poole, «credete che io non conosca il mio padrone dopo vent'anni? Credete che non sappia dove arriva la sua testa, sulla porta della sua stanza, dove l'ho veduto ogni mattina della mia vita? No, signore, quella persona con la maschera non era il dottor Jekyll... Dio solo sa chi era, ma non era affatto il dottor Jekyll; e sono profondamente convinto che ci sia stato un assassinio.»

«Poole,» ribatté l'avvocato, «se voi affermate questo diverrà mio dovere accertarmene. Per quanto io desideri rispettare i sentimenti del vostro padrone, per quanto sia messo in imbarazzo da questo biglietto che sembra provare la sua esistenza, considererò mio dovere sfondare quella porta.»

«Ah, signor Utterson, questo si chiama parlare!» esclamò il maggiordomo.

«E ora viene la seconda questione,» riprese Utterson. «Chi la sfonderà?»

«Ebbene, voi ed io, signore» fu la risposta pronta.

«Molto ben detto,» rispose l'avvocato, «e qualsiasi cosa avvenga, farò il possibile perché voi non dobbiate avere noie.»

«C'è un'ascia, nella sala anatomica» continuò Poole; «e voi potrete prendere l'attizzatoio.»

L'avvocato prese quel rozzo ma pesante strumento, e lo bilanciò nel pugno.

«Sapete, Poole,» disse, alzando gli occhi, «che voi e io stiamo per cacciarci in una posizione pericolosa?»

«Potete ben dirlo, signore, effettivamente» rispose il maggiordomo.

«E allora sarà opportuno che siamo franchi» disse l'altro. «Tutt'e due pensiamo più di quanto non abbiamo detto: parliamoci chiaro. La persona mascherata che avete vista, l'avete riconosciuta?»

«Ebbene, signore, è stato così rapido ed era così trasformata, che non potrei affatto giurarlo» fu la risposta. «Ma se volete dire... che quello era il signor Hyde, ebbene, sì, credo che lo fosse! Vedete, era della sua corporatura; e aveva la stessa sua rapidità; e poi, chi altro poteva essere entrato dalla porta del laboratorio? Non avrete dimenticato, signore, che all'epoca dell'assassinio aveva ancora la chiave con sé. Ma questo non è tutto. Non so, signor Utterson, se voi abbiate mai incontrato quel signor Hyde?»

«Sì» disse l'avvocato. «Ho parlato una volta con lui.»

«Allora dovete sapere come lo sappiamo noi che c'era qualcosa di strano intorno a quell'uomo... qualcosa che faceva rabbrividire... non so bene come spiegarlo, signore, se non così: qualcosa che vi fa venire il freddo sin nel midollo delle ossa.»

«Anch'io ho provato qualcosa di simile» disse il signor Utterson.

«Proprio così, signore» rispose Poole. «Ebbene, quando quell'essere mascherato saltò come una scimmia di tra gli apparecchi chimici e scomparve nel gabinetto, provai un brivido lungo tutta la spina dorsale. Oh, lo so, non è una prova, signor Utterson; sono abbastanza istruito per sapere questo; ma un uomo ha le sue sensazioni, e io vi giuro sulla Bibbia che quello era il signor Hyde!»

«Sì, sì,» disse l'avvocato «i miei timori vanno d'accordo con i vostri. Temo che il male sia stato l'origine (e il male doveva essere la conseguenza) di quella relazione. Ah, certamente, vi credo; credo che il povero Harry sia stato ucciso; e credo che il suo assassino (per quale motivo, solo Dio lo sa) stia ancora rinchiuso nella stanza della sua vittima. Bene, che il nostro nome sia vendetta: chiamate Bradshaw.»

Il domestico accorse al richiamo, pallidissimo e nervoso.

«Fatevi animo, Bradshaw» disse l'avvocato. «Questa incertezza vi pesa, vi infastidisce; ma, ora, è nostra intenzione porre termine a simile stato di cose. Poole e io stiamo per forzare la porta del gabinetto. Se tutto va bene, le mie spalle sono larghe abbastanza per sopportare i rimproveri. Frattanto, per il caso che vi sia veramente qualcosa di anormale, oppure che qualche malfattore cerchi di fuggire dalla parte posteriore, voi e il ragazzo girate l'angolo con un paio di buoni bastoni, e appostatevi davanti alla porta del laboratorio. Vi diamo dieci minuti per arrivare al vostro posto.»

Mentre Bradshaw si allontanava, l'avvocato guardò l'orologio.

«E adesso, Poole, andiamoci noi, al nostro posto» disse, e, mettendosi l'attizzatoio sotto il braccio, si avviò verso il cortile.

Le nubi avevano coperto la luna, e ora faceva buio. Il vento, che giungeva solo a folate, e penetrava in quella fitta massa di caseggiati, agitò la fiamma della candela davanti ai loro passi, sinché non giunsero al riparo della sala anatomica dove essi sedettero in silenzio ad aspettare. Londra mormorava solennemente tutt'intorno; ma lì vicino, il silenzio era rotto soltanto dal rumore dei passi che andavano su e giù sul pavimento del gabinetto privato.

«Così cammina tutto il giorno, signore» mormorò Poole. «Sì, e anche per gran parte della notte. Solo quando un nuovo campione di medicina giunge dalla farmacia, allora c'è una pausa. Ah, solo una coscienza colpevole può essere tanto nemica del riposo!

Ah, signore, è il passo dell'assassino! Ma ascoltate ancora, più vicino... siate tutt'orecchi, signor Utterson, e ditemi se questo è il passo del mio padrone!»

I passi erano leggeri e irregolari, avevano un certo ritmo, benché fossero così lenti; erano effettivamente diversi dall'andatura pesante di Henry Jekyll. Utterson sospirò.

«Non avete sentito nient'altro?» chiese.

Poole annuì.

«Una volta,» disse, «una volta l'ho udito piangere!»

«Piangere? Come?» chiese l'avvocato, avvertendo un improvviso brivido di orrore.

«Piangere come una donna o un animo in pena» disse il maggiordomo. «Mi sono allontanato con quell'impressione qui dentro, e avrei pianto anch'io.»

Intanto i dieci minuti erano ormai quasi passati. Poole estrasse l'ascia da sotto un mucchio di paglia da imballaggio; la candela venne collocata sul tavolo più vicino perché illuminasse il loro assalto; e tutt'e due si accostarono, trattenendo il respiro, al luogo dove quel passo tenace andava su e giù, su e giù, nel silenzio della notte.

«Jekyll,» gridò Utterson, forte, «chiedo di potervi vedere.» Tacque un minuto, ma non gli giunse alcuna risposta. «Vi avverto lealmente che sono nati in noi sospetti, e dobbiamo e vogliamo vedervi,» continuò «se non con mezzi leciti, con gli illeciti: se non acconsentite, ricorreremo alla forza.»

«Utterson,» rispose la voce, «per amor di Dio, abbiate pietà!»

«Ah, questa non è la voce di Jekyll! È la voce di Hyde!» esclamò Utterson. «Sfondiamo la porta, Poole.»

Poole alzò la scure sopra la testa; il colpo scosse tutta la casa, e la porta coperta di rosso si ruppe tra i cardini e la serratura. Un terribile grido, come di un terrore animale, si levò nella stanza. La scure salì di nuovo, e di nuovo il legno si squarciò, e l'intelaiatura della porta si scosse; per quattro volte il colpo si ripeté; ma il legno era resistente, e la serratura ben fatta; solo al quinto colpo la serratura andò in pezzi, e la porta in frantumi cadde all'interno, sul tappeto.

Gli assalitori, stupiti dalla loro stessa violenza e dal silenzio che ne era seguito, si ritrassero un poco, e guardarono dentro. Davanti ai loro occhi era il gabinetto, alla tranquilla luce della lampada, e un bel fuoco brillava e scoppiettava nel camino, mentre il pentolino del tè canterellava la sua sottile canzone, uno o due cassetti erano aperti, le carte bene ordinate sulla scrivania, e, vicino al fuoco, il servizio per il tè era già apparecchiato: la stanza più tranquilla di Londra, si sarebbe detto, e, non fosse stato per le vetrine piene di apparecchi chimici, la più comune, quella sera.

Proprio nel mezzo della stanza giaceva il corpo di un uomo dolorosamente contorto e ancora palpitante. Si avvicinarono in punta di piedi, lo rivoltarono sulla schiena, e videro la faccia di Edward Hyde. Era vestito con abiti troppo ampi per lui, abiti della misura del dottore; i muscoli della sua faccia ancora si contraevano in una parvenza di vita, ma la vita era completamente cessata; e dalla fiala che teneva in mano e dal forte odore di medicinale che fluttuava nell'aria, Utterson capì di essere in presenza del cadavere di un suicida.

«Siamo arrivati troppo tardi,» disse seccamente, «per salvare e per punire. Hyde ha scontato con la morte, e ora non ci resta che trovare il corpo del vostro padrone.»

La maggior parte della casa era occupata dalla sala anatomica, che prendeva quasi l'intero pianterreno ed era illuminata dall'alto, e dal gabinetto, che formava un piano superiore, da una parte, e che dava sul cortile. Un corridoio collegava la sala con la porta che usciva sulla strada secondaria: e il gabinetto comunicava separatamente con questa per mezzo di una seconda rampa di scale. C'erano inoltre alcuni ripostigli scuri e una spaziosa cantina. I due ora esaminarono tutti questi locali accuratamente. Per ogni ripostiglio non occorreva più di un'occhiata, perché erano tutti vuoti, e tutti, a giudicare dalla polvere che cadeva dagli sportelli, non erano stati evidentemente aperti da tempo. La cantina, poi, era piena di arnesi inutili e antiquati, per la maggior parte risalenti all'epoca del chirurgo predecessore del dottor Jekyll; ma, quando i due aprirono la porta, capirono subito l'inutilità di ulteriori ricerche, per la caduta di una fitta ragnatela che per anni era stata attaccata all'entrata. In nessun posto esisteva traccia di Henry Jekyll, morto o vivo.

Poole batté il piede sulle lastre del pavimento del corridoio.

«Deve essere sepolto qui» disse, prestando attenzione al suono cavo.

«Oppure può essere fuggito» disse Utterson, e si voltò per esaminare la porta che dava sulla stradetta. Era chiusa; a terra lì vicino era la chiave, già macchiata di ruggine.

«Questa, non pare sia stata usata» osservò l'avvocato.

«Usata!» fece eco Poole, «non vedete, signore, che è rotta? Come se uno l'avesse calpestata.»

«Sì,» continuò Utterson, «e anche i pezzi sono arrugginiti.»

I due uomini si guardarono con apprensione.

«Questo supera le mie possibilità di comprensione, Poole» disse l'avvocato. «Torniamo nel gabinetto.»

Salirono la scala in silenzio, e, dopo aver dato ancora un'occhiata piena di terrore al cadavere, passarono a esaminare con maggior cura tutto quello che era nella stanza. Su una tavola erano tracce di esperimenti chimici, varie bacinelle di vetro dove era stata misurata una polvere bianca, come per un tentativo che il disgraziato avesse fallito.

«È proprio la polvere che gli portavo continuamente» disse Poole; e, mentre parlava, il pentolino del tè con un rumore improvviso prese a bollire.

Questo li condusse accanto al focolare, dove la poltrona era comodamente accostata, e l'apparecchiatura per il tè era pronta accanto al gomito di chi sedeva, con lo zucchero già nella tazza. Su uno scaffale erano vari libri; uno di essi era aperto accanto alla tazza, e Utterson restò sorpreso nel vedere che era un esemplare di un libro religioso, per il quale Jekyll aveva molte volte espresso una grande stima; quel volume era annotato, di suo pugno, con terribili bestemmie.

Poi, nel corso del loro esame della stanza, i due si accostarono al grande specchio, nel quale guardarono con istintiva paura. Lo specchio era collocato in modo da mostrare loro soltanto il roseo bagliore giocante sul soffitto, la fiamma ripetuta in cento riflessi dalla superficie vitrea degli scaffali, e le loro facce pallide e spaventate intente a osservare.

«Questo specchio ha visto molte strane cose, signore» mormorò Poole.

«E certamente nulla è più strano di questo specchio» fece eco l'avvocato sullo stesso tono. «Cosa ha fatto Jekyll?...» s'interruppe trasalendo a queste parole, poi, vincendo l'attimo di debolezza. «Come poteva servire, questo, a Jekyll?»

«Se non lo sapete voi...» disse Poole.

Poi si girarono verso la scrivania. Sul ripiano, tra le carte bene ordinate, era una grande busta che recava, tracciato dalla calligrafia del dottore, il nome di Utterson. L'avvocato l'aprì, e molti fogli caddero al suolo. Il primo era un testamento, scritto negli stessi eccentrici termini di quello che l'avvocato aveva restituito al dottore sei mesi prima, e che valeva come testamento in caso di morte, e come atto di donazione in caso di scomparsa; ma al posto del nome di Edward Hyde, l'avvocato, con indescrivibile stupore, lesse il nome di Gabriel John Utterson. Guardò Poole, e poi di nuovo il foglio, e infine il colpevole morto, disteso sul tappeto.

«Mi gira la testa» disse; «l'ha avuto nelle sue mani durante tutti questi giorni; non aveva alcun motivo di simpatia nei miei riguardi; deve essersi adirato nel vedersi mal considerato, eppure non ha distrutto questo documento.»

Poi prese il secondo foglio; era un breve scritto, di mano del dottore, e portava in cima una data.

«Oh, Poole!» esclamò l'avvocato, «il dottore era ancora vivo, qui, oggi stesso! Non può essere stato ucciso in così breve tempo, deve essere ancora in vita, deve essere fuggito! Ma allora, perché è fuggito? E come? E in questo caso, possiamo arrischiarci a denunciare questo suicidio? Oh, dobbiamo essere prudenti. Ho il presentimento che potremmo ancora coinvolgere il vostro padrone in qualche orribile catastrofe.»

«Perché non leggete, signore?» chiese Poole.

«Perché ho paura» rispose l'avvocato solennemente. «Dio voglia che sia una paura senza motivo!» e così dicendo si portò il foglio davanti agli occhi e cominciò a leggere quanto segue:

Mio caro Utterson, quando questo foglio cadrà in vostre mani, io sarò scomparso, in quali circostanze, non posso prevederlo, ma il mio istinto e tutte le condizioni di questo mio indicibile stato mi dicono che la fine è certa e prossima. Leggete, allora, per prima cosa, il racconto che Lanyon mi avvertì di dover porre nelle vostre mani; e, se volete saper di più, rivolgetevi alla confessione del vostro indegno ed infelice amico

Henry Jekyll

«C'è un altro plico?» chiese Utterson.

«Eccolo, signore» disse Poole, e gli mise in mano un grosso plico sigillato in vari punti.

L'avvocato se lo pose in tasca.

«Non vorrei dir nulla di questo foglio. Se il vostro padrone è fuggito o è morto, potremo almeno salvare il suo onore. Ora sono le dieci; devo andare a casa a leggere questi documenti con tranquillità; ma sarò di ritorno prima di mezzanotte, e, allora, manderemo a chiamare la polizia.»

Uscirono, chiudendosi dietro la porta della sala anatomica; e Utterson, lasciando ancora tutta la servitù radunata intorno al camino nell'entrata, si avviò verso il suo ufficio per leggere i due documenti che avrebbero dovuto svelare il mistero.

IX
Il racconto del dottor Lanyon

Il nove di gennaio, quattro giorni or sono, ricevetti con la posta serale una lettera raccomandata, che recava l'indirizzo di mano del mio collega e vecchio compagno di scuola, Henry Jekyll. Restai molto stupito; infatti non eravamo per nessun motivo abituati alla corrispondenza; io lo avevo visto, avevo, sì, cenato in sua compagnia, la sera precedente, ma non potevo immaginare nulla nei nostri rapporti capace di giustificare la formalità di una raccomandata. Il contenuto della lettera aumentò il mio stupore; ecco cosa vi era scritto:

10 dicembre 18..

Caro Lanyon,
voi siete uno dei miei più vecchi amici; e, sebbene possiamo avere avuto divergenze in materia scientifica, non ricordo, almeno da parte mia, che nel nostro affetto si sia mai verificata alcuna rottura. Non è mai esistito un giorno nel quale, se voi mi aveste detto: «Jekyll, la mia vita, il mio onore, la mia ragione stessa dipendono da voi» io non avrei sacrificato tutto il mio

avere, o la mia mano destra per aiutarvi. Ora, Lanyon, la mia vita, il mio onore, la mia ragione, tutto sta nelle vostre mani; se questa sera mi mancate, io sono perduto. Potete supporre, dopo questo preambolo, che io stia per chiedervi qualcosa di disonorevole. Giudicate voi stesso.

Desidero che rimandiate ogni altro impegno per questa sera, sì, anche se foste chiamato al capezzale di un imperatore; che prendiate una carrozza, a meno che la vostra non sia già alla porta; e che con questa lettera in mano per guidarvi, veniate direttamente da me. Poole, il mio maggiordomo, ha avuto ordini precisi; lo troverete ad aspettare il vostro arrivo con un fabbro. Dovrete allora forzare la porta del mio gabinetto; e voi entrerete solo; aprirete la vetrina (lettera E) a sinistra, rompendo la serratura se fosse chiusa; tirate poi fuori, *con tutto il contenuto così come sta*, il quarto cassetto dall'alto, ovvero (il che è lo stesso) il terzo dal basso. Nella mia estrema disperazione, ho una morbosa paura di non darvi istruzioni abbastanza precise; ma anche se mi sbagliassi, potrete riconoscere il cassetto dal suo contenuto: delle polveri, una fiala, e un fascicolo. Vi scongiuro di portare questo cassetto con voi, a Cavendish Square, esattamente come si trova.

Questa è la prima parte del favore che vi chiedo: e ora la seconda. Sarete di ritorno, se uscirete subito appena ricevuta la mia lettera, molto prima di mezzanotte; ma vi lascerò un margine di tempo, non solo per timore di uno di quegli ostacoli che non si possono prevenire né prevedere, ma perché per quello che vi resta da fare è da preferirsi un'ora nella quale i vostri servi siano a letto. A mezzanotte, dunque, vi chiedo di trovarvi solo nella vostra stanza di consultazione, per ricevere di persona un uomo che vi si presenterà a mio nome, e per consegnargli il cassetto che avrete portato con voi dal mio gabinetto. A questo punto avrete compiuto la vostra parte e avrete tutta la mia gratitudine. Cinque minuti dopo, se insisterete per avere una spiegazione, capirete che queste disposizioni sono di capitale importanza; e che, se una di esse verrà trascurata, per quanto possano apparire stravaganti, avrete sulla coscienza la mia morte o la perdita completa della mia ragione.

Ho piena fiducia che prenderete sul serio questa mia supplica, ma il mio cuore palpita e la mia mano trema al solo pensiero della possibilità che così non avvenga. Pensate a me a quest'ora, in un luogo inopportuno, in preda a una oscura angoscia che nessuna fantasia potrebbe esagerare, eppure ben cosciente che, se soltanto voi mi farete puntualmente questo favore, i miei guai si dissolveranno come alla fine di una favola. Aiutatemi, caro Lanyon, e salvate il vostro amico.

Henry Jekyll

P.S. Avevo già sigillato la lettera, quando un nuovo terrore mi ha colpito. Può darsi che l'ufficio postale mi tradisca, e che questa lettera non arrivi nelle vostre mani sino a domattina. In questo caso, caro Lanyon, adempite alla mia richiesta quando vi parrà più opportuno nel corso della giornata; e aspettate sempre il mio messaggero a mezzanotte. Potrebbe allora essere già troppo tardi; e, se questa notte trascorrerà senza alcun avvenimento, saprete di aver visto per l'ultima volta Henry Jekyll.

Dopo aver letto questa lettera, fui certo che il mio collega fosse impazzito. Ma sinché questo non fosse stato dimostrato senza possibilità di dubbio, mi sentii costretto ad agire come mi veniva chiesto. Meno capivo in quel pasticcio, meno mi sentivo nella posizione di giudicare la sua importanza; non potevo trascurare un'invocazione in quei termini, senza assumermi una grave responsabilità. Mi alzai perciò da tavola, presi una carrozza, e andai direttamente a casa di Jekyll. Il maggiordomo aspettava la mia venuta; aveva ricevuto, con lo stesso giro di posta, una raccomandata con istruzioni, e aveva mandato a cercare un fabbro e un falegname. I due giunsero mentre stavamo parlando; ci dirigemmo tutti insieme verso la sala anatomica del vecchio dottor Denman, dalla quale (come certamente saprete) si entra nel gabinetto privato di Jekyll. La porta era molto resistente, e la serratura eccellente: il falegname dichiarò che gli sarebbe costato molta fatica, e che avrebbe fatto un gran danno, se doveva usare la forza; e il fabbro disperava quasi di riuscire. Ma quest'ultimo era un tipo molto abile, e, dopo due ore di lavoro, la porta fu spalancata. La vetrina contrassegnata «E» era aperta; e io estrassi il cassetto, lo ricoprii di paglia, lo avvolsi in una carta, e me ne tornai con quello in Cavendish Square.

Qui procedetti a esaminarne il contenuto. Le polveri erano composte abbastanza accuratamente, ma non con l'esattezza di un chimico; era chiaro che le aveva fatte Jekyll stesso, in privato; e, quando aprii una delle bustine, vi trovai quello che mi sembrò un semplice sale bianco cristallino. La fiala, a cui rivolsi poi la mia attenzione, era riempita a metà di un liquido color rosso sangue, dall'odore molto acuto, mi parve contenere fosforo con qualche etere volatile. Degli altri ingredienti non potevo indovinare nulla. Il fascicolo era un comune quaderno di appunti e conteneva poco, oltre una serie di date. Queste comprendevano un periodo di molti anni, ma osservai che le annotazioni s'interrompevano circa un anno prima, e bruscamente. Qua e là una breve nota era aggiunta a una data, per lo più una sola parola: «doppio», che si ripeteva forse sei volte nel giro di parecchie centinaia di date; una volta al principio della lista, seguita da molti punti esclamativi, vidi l'iscrizione: «Fallimento completo!!!». Tutto questo, sebbene eccitasse la mia curiosità, non mi diceva molto di definitivo. C'era una fiala di un qualche liquido colorato, una cartina di una qualche polvere, e l'annotazione di una serie di esperimenti che non avevano condotto (come tanti altri nelle ricerche di Jekyll) ad alcun risultato di pratica utilità. Come poteva la presenza di simili oggetti in casa mia colpire l'onore, la sanità mentale o la stessa vita del mio strano collega? E, pur ammettendo qualche impedimento, perché il suo messaggero doveva venire ricevuto da me in segreto? Più riflettevo, più mi convincevo di avere a che fare con un caso di malattia mentale; e, pur mandando i miei servi a dormire, caricai una vecchia pistola per potermi trovare pronto alla difesa.

Era appena suonata la mezzanotte su Londra, quando fu bussato lievemente alla mia porta. Andai io stesso ad aprire, e mi trovai davanti a un uomo di bassa statura accovacciato fra i pilastri del portico.

«Venite da parte del dottor Jekyll?» domandai.

Mi rispose di sì, con un gesto forzato; e, quando gli dissi di entrare, mi obbedì, gettando un'occhiata indietro nell'oscurità della piazza. C'era una guardia non lontano di lì, che veniva avanti con la lanterna accesa; vedendola, pensai che il mio visitatore la temesse, e, infatti, entrò in fretta. Questi particolari mi colpirono, lo confesso, piuttosto sgradevolmente; e, mentre lo seguivo nella chiara luce della mia stanza di consultazione, tenevo la mano pronta sull'arma. Finalmente potei vederlo chiaramente. Non avevo mai messo gli occhi su di lui prima, ne ero certo. Era piccolo, come ho già detto; fui colpito, oltre che dalla terribile espressione della sua faccia, dalla notevole mescolanza di grande forza muscolare e di grande debolezza di costituzione, e, cosa non meno notevole, dalla strana e soggettiva sensazione di disagio che mi provocava la sua vicinanza. Sembrava quasi un principio di irrigidimento, accompagnato da una notevole debolezza del polso. Lì per lì, l'attribuii ad un disgusto personale, a un'idiosincrasia, e mi stupii solo dell'acutezza dei sintomi; ma poi ebbi motivo di credere che la causa fosse insita molto più profondamente nella natura umana, e che si basasse su qualcosa di molto più nobile del sentimento dell'odio.

Quell'essere (che sin dal primo momento del suo ingresso aveva sollevato in me quello che posso descrivere solo come una curiosità piena di disgusto) era vestito in maniera capace di rendere ridicola qualsiasi persona normale; i suoi abiti, sebbene fossero di fattura elegante e sobria, erano enormemente ampi per lui in tutti i sensi: i pantaloni gli pendevano sulle gambe ed erano rimboccati per non toccare il suolo, la vita della giacca gli arrivava sotto i fianchi, il colletto gli si allargava sulle spalle. Strano a dirsi, questo grottesco abbigliamento era ben lontano dal farmi ridere. Piuttosto, come c'era qualcosa di anormale e di deforme nella natura di quell'essere che mi stava di fronte, qualcosa di singolare, di sorprendente e rivoltante allo stesso tempo, così quella nuova stonatura pareva rinforzarne la singolarità; perciò al mio interesse per la natura e il carattere dell'uomo si aggiungeva la curiosità circa la sua origine, la sua vita, la sua fortuna e la sua posizione nel mondo.

Queste osservazioni, sebbene richiedano molto

spazio per essere riferite, allora furono istantanee. Il mio visitatore era in preda a una cupa agitazione.

«L'avete?» gridò «l'avete?» E la sua impazienza era tanto viva, che la sua mano si posò sul mio braccio e cercò di scuotermi.

Lo respinsi, avvertendo al suo contatto un certo brivido gelato nelle vene.

«Via, signore,» dissi, «dimenticate che non ho ancora il piacere di conoscervi. Sedete, prego.»

Gli detti l'esempio, e sedetti anch'io nella mia solita poltrona, assumendo le solite maniere che uso verso un paziente, per quanto me lo permettevano l'ora tarda, la natura delle mie preoccupazioni, e l'orrore che provavo per il mio ospite.

«Vi chiedo scusa, dottor Lanyon» rispose quello, abbastanza cortesemente. «Quanto dite è molto giusto; la mia impazienza ha vinto l'educazione. Vengo per ordine del vostro collega, dottor Henry Jekyll, per un affare di una certa importanza; e so che...» s'interruppe, e si portò una mano alla gola e mi accorsi che, nonostante i suoi modi composti, stava lottando contro l'approssimarsi di una crisi isterica: «So che un certo cassetto...»

A questo punto ebbi pietà dell'ansia del mio visitatore, anche forse per la mia crescente curiosità.

«Eccolo, signore», dissi indicando il cassetto che giaceva sul pavimento, sotto una tavola, ancora ricoperto della carta.

Quello si precipitò, poi si trattenne, e si portò una mano al cuore; potevo sentire i suoi denti scricchiolare nel movimento convulso della mascella; e la sua faccia era così spettrale a vedersi, che mi allarmai per la sua vita e la sua ragione.

«Calmatevi» gli dissi.

Mi rivolse un terribile sorriso, e con l'impulso della disperazione, tirò fuori il cassetto. Alla vista del contenuto, emise un forte singhiozzo di un tale immenso sollievo che io rimasi pietrificato. Subito dopo, con una voce già tornata normale, mi domandò:

«Avete un bicchiere graduato?»

Mi alzai con una certa fatica e gli porsi quello che chiedeva.

Mi ringraziò con un sorridente cenno d'assenso, misurò poche gocce del liquido rosso e vi aggiunse una delle polveri. La miscela, che da principio era di colore rossastro, diventò, man mano che i cristalli si scioglievano, più chiara ed effervescente, e prese a emanare piccoli getti di vapore. Nello stesso attimo improvvisamente, l'ebollizione cessò e il composto diventò di uno scuro color porpora, che cangiò di nuovo e più lentamente in un color verde acqua. Il mio visitatore, che aveva scrutato quelle metamorfosi con occhio attento, sorrise, depose il bicchiere sulla tavola, poi si voltò a guardarmi con aria scrutatrice.

«E ora,» disse, «concludiamo. Volete essere saggio? Volete un buon consiglio? Permettete che io prenda questo bicchiere in mano, e me ne vada dalla vostra casa senza ulteriori parole? Oppure la curiosità domina in voi? Pensateci, prima di rispondere, perché sarà fatto quello che deciderete voi. Se deciderete per lasciarmi andare, resterete come prima, né più ricco né più saggio, a meno che la coscienza di un servigio reso a un uomo in un momento di disperazione mortale non possa essere considerata come una specie di ricchezza spirituale. Oppure, se preferirete sapere, tutto un nuovo mondo di cognizioni, nuove vie verso la fama e il potere vi saranno aperte davanti, qui, in questa stanza, in questo stesso attimo; la vostra vista sarà abbagliata da un prodigio tale da scuotere l'incredulità di Satana.»

«Signore,» dissi io, ostentando una freddezza che ero ben lontano dal provare, «parlate per enigmi, e forse non vi stupirete che io vi ascolti con poca credulità. Ma ormai sono andato troppo avanti su questa via di inesplicabili servigi, per arrestarmi prima di vederne il termine.»

«Bene» rispose il mio visitatore. «Lanyon, ricordate i vostri voti: ciò che segue è sotto il suggello del segreto professionale. E ora, voi che siete stato tanto tempo legato alle più strette e grette vedute, voi che avete negato la virtù della medicina trascendentale, voi che avete deriso chi vi era superiore... guardate!»

Si portò il bicchiere alle labbra, e bevve il contenuto in un sorso. Udii un grido; barcollò, vacillò, si aggrappò alla tavola con gli occhi sbarrati e iniettati di sangue, ansando con la bocca aperta; e, mentre lo guardavo, si trasformava, così mi sembrò, pareva gonfiarsi, la faccia diventò improvvisamente nera, i suoi lineamenti parvero dissolversi e alterarsi; l'attimo successivo io ero balzato in piedi ed indietreggiavo verso il muro, alzando il braccio come per difendermi da quel prodigio, con l'animo sommerso dal terrore.

«Oh, Dio!» gridai, e poi di nuovo: «Oh, Dio, oh, Dio!» Davanti ai miei occhi, pallido, tremante, e mezzo svenuto, con le mani che annaspavano in avanti, come un uomo che risusciti, stava Henry Jekyll!

Quello che mi disse durante l'ora che seguì, non sono capace di trascriverlo sulla carta. Vidi quello che vidi, udii quel che udii, e il mio animo ne cadde ammalato; e anche ora, che quella vista non è più davanti ai miei occhi, mi chiedo se debbo credervi, e non so rispondere. La mia stessa vita è scossa dalle radici; il sonno mi ha abbandonato; il più mortale terrore mi domina a ogni ora del giorno e della notte; sento che le mie ore sono contate, e che devo morire; eppure morrò incredulo. Quanto alla turpitudine morale che quell'uomo mi ha rivelato, anche se con le lacrime del pentimento, non sono capace neppure nel ricordo di pensarvi se non con un brivido di orrore. Dirò solo una cosa, Utterson, e (se riuscirete a crederla) sarà più che sufficiente: la creatura che s'insinuò in casa mia quella notte era, secondo la confessione dello stesso Jekyll, conosciuta con il nome di Hyde, ed era ricercata in ogni angolo della terra come l'assassino di Carew.

Hastie Lanyon

X
La relazione di Jekyll sul caso

Sono nato nell'anno 18.., notevolmente ricco, e dotato inoltre di eccellenti qualità, incline per natura all'operosità, pieno di rispetto per i miei maggiori e ben disposto verso i miei simili; perciò, come si poteva supporre, avevo ogni garanzia di un avvenire onorevole e brillante. In verità, il peggiore dei miei difetti era quella certa impaziente vivacità, che ha fatto la fortuna di molti, ma che io trovai sempre difficile conciliare con il mio imperioso desiderio di portare la testa alta e di presentare al pubblico un contegno più grave del normale. Di conseguenza avvenne che io nascondessi i miei piaceri; e, quando raggiunsi l'età della riflessione e cominciai a guardarmi intorno e a considerare il mio progresso e la mia situazione nel mondo, mi trovai già impegnato in una profonda duplicità di vita. Più di una persona avrebbe anche vantato le irregolarità delle quali io ero colpevole; ma, date le alte vedute che avevo, io le consideravo e le celavo con un senso di vergogna quasi morboso. Fu perciò la natura prepotente delle mie aspirazioni, più che qualsiasi particolare degradazione nei miei errori, a rendermi quello che fui, e, con un abisso più profondo che nella moltitudine degli uomini, separò in me il dominio del bene dal dominio del male, che dividono e compongono la natura dualistica dell'uomo. In questo caso, ero portato a riflettere profondamente e lungamente su quella dura legge della vita, che sta alla radice della religione ed è una delle più copiose sorgenti di dolore. Benché profondamente duplice, io non ero affatto un ipocrita; tutt'e due i miei lati erano estremamente sinceri; io ero sempre me stesso, sia che mettessi da parte qualsiasi riserbo e sprofondassi nella vergogna, sia che mi affaticassi, alla luce del giorno, per il progresso della scienza o per il sollievo dai dolori e dalle sofferenze. Avvenne che la direzione dei miei studi scientifici, che portavano direttamente verso il mistico e il trascendentale, deviasse e gettasse una viva luce su questa coscienza della perenne lotta tra le mie membra. Ogni giorno, e secondo i due impulsi del mio animo, morale e intellettuale, io mi avvicinai così a quella verità, la scoperta parziale della quale mi ha trascinato a una così orribile catastrofe: e cioè che l'uomo non è in verità unico, ma duplice. Dico duplice perché lo stato della mia conoscenza non va oltre questo punto. Altri seguiteranno, altri mi sorpasseranno in questa direzione, e io posso osare prevedere che infine l'uomo verrà riconosciuto come un risultato di molteplici, incongrui ed indipendenti entità. Da parte mia, per la natura della mia vita, ho proceduto infallibilmente in una sola direzione. Fu studiando il lato morale nella mia stessa persona che imparai a riconoscere la profonda e primitiva dualità dell'uomo; ho visto che, delle due nature che lottavano nel campo della mia coscienza, anche se potevo dire giustamente di essere l'una o l'altra, appartenevo in realtà radicalmente a tutt'e due; e sin dagli inizi, anche prima che il corso delle mie scoperte scientifiche avesse cominciato a suggerirmi la possibilità di un simile miracolo, avevo appreso a compiacermi, come in un bel sogno, al pensiero della separazione di quegli elementi. Se ciascuno di essi, dicevo a me stesso, potesse solamente essere riposto in identità separate, la vita sarebbe alleviata di tutto quanto ha d'insopportabile; l'ingiusto potrebbe andarsene per la sua strada, liberato dalle aspirazioni e dal rimorso del suo gemello più onesto; e il giusto potrebbe camminare tranquillo e sicuro per la sua strada elevata, compiendo il bene in cui trova il suo piacere, non più esposto alla vergogna e al pentimento a causa del male a lui estraneo. Era la maledizione del genere umano, il fatto che quei due elementi contrastanti fossero così legati insieme, che nel seno agonizzante della coscienza, questi due poli dovessero essere in continua lotta. Come dissociarli allora?

Ero arrivato a questo punto nelle mie riflessioni, quando, come ho detto, una luce cominciò a brillare sull'argomento, dal mio tavolo di laboratorio. Cominciai a percepire più profondamente di quanto non sia mai stato affermato la tremante immaterialità, la mutevolezza simile a nebbia di questo corpo apparentemente tanto solido nel quale noi viviamo. Trovai che certi agenti avevano il potere di scuotere e di strappare questo rivestimento di carne, come il vento può strappare una tenda. Per due buone ragioni non m'inoltrerò profondamente in questo ramo scientifico della mia confessione. In primo luogo, perché ho imparato che il peso e il destino della nostra vita sono legati per sempre alle spalle dell'uomo, e, quando si tenta di disfarsene, ci ricadono addosso con maggiore e peggiore oppressione. In secondo luogo, perché, come la mia narrazione, ahimè, dimostrerà, le mie scoperte sono state incomplete. Basti dire che non solo io riconobbi il mio corpo naturale come una semplice emanazione e irradiazione di certi poteri del mio spirito, ma mi adoperai a comporre una sostanza con la quale tali poteri potessero essere annullati nella loro supremazia, e sostituiti da una seconda forma e da un secondo aspetto non meno naturali per me, perché offrivano l'espressione e portavano il marchio degli elementi più vili della mia anima.

Esitai a lungo prima di porre questa teoria alla prova della pratica. Sapevo bene di rischiare la morte; perché la droga, che così potentemente controllava e scuoteva la fortezza dell'identità, avrebbe potuto, per una minima eccedenza nella dose, o un minimo inconveniente al momento della somministrazione, annullare del tutto quel tabernacolo immateriale che io con essa volevo trasformare. Ma la tentazione di una così singolare e profonda scoperta finalmente vinse ogni allarmistico timore. Avevo da molto tempo preparato la mia miscela; comperai subito, da un grossista di farmacia, una grande quantità di una polvere speciale, che sapevo per i miei esperimenti essere l'ultimo ingrediente richiesto; e in una notte maledetta, composi gli elementi, li guardai bollire e fumare mescolati nel bicchiere, e, appena l'ebollizione fu cessata, con un gran gesto di coraggio, mandai giù la pozione.

Subito dopo provai dolori laceranti: uno scricchiolio nelle ossa, una nausea mortale, e un orrore dello spirito che non può essere superato nell'attimo della nascita o della morte. Poi questa agonia cominciò a placarsi, e tornai in me come da una grave malattia. C'era qualcosa di strano, nelle mie sensazioni, qualcosa di indescrivibilmente nuovo, e, appunto per la novità, incredibilmente dolce. Mi sentii più giovane, più leggero, più felice fisicamente; dentro di me avvertivo uno sconvolgimento cerebrale, una corrente di disordinate immagini sensuali che mi tumultuava nella fantasia e una sensazione sconosciuta ma non innocente di libertà m'invadeva l'anima. Io stesso capii, al primo alito di questa nuova esistenza, che ero ben malvagio, dieci volte più malvagio, venduto come uno schiavo al mio peccato originale; e in quel momento un tal pensiero mi esaltò, m'inebriò come vino. Tesi le braccia, entusiasta per la freschezza di quelle sensazioni; e in quel gesto, mi avvidi immediatamente di come la mia statura si fosse ridotta.

A quel tempo non esisteva specchio nel mio gabinetto; quello che mi sta davanti mentre scrivo è stato portato qua dentro più tardi e proprio perché potessi studiarvi le mie metamorfosi. Nel frattempo, la notte s'era tramutata in alba – un'alba che, per quanto buia, era molto vicina a concepire il giorno – gli abitanti della casa erano ancora immersi nel più profondo dei sonni; e io decisi, esaltato com'ero dalla mia speranza e dal mio trionfo, di avventurarmi nella mia nuova forma sino alla stanza da letto. Attraversai il cortile e le stelle guardarono dall'alto, forse con stupore – so di aver pensato – la prima creatura di un genere che la loro insonne vigilanza non aveva ancora mai notato; scivolai lungo i corridoi, straniero in casa mia, e arrivai nella mia camera. Allora conobbi per la prima volta l'aspetto di Edward Hyde.

A questo punto devo parlare soltanto teoricamente, dicendo non quello che so ma quello che credo probabile. La parte malvagia della mia natura, alla quale ora io avevo dato una vigorosa efficacia, era meno robusta e meno sviluppata della parte buona. Inoltre nel corso della mia vita, che era stata, dopo tutto, per nove decimi una vita di sforzi, di virtù e di disciplina, avevo molto meno esercitato e messo alla prova quella parte cattiva. Proprio da questo derivava il fatto, credo, che Edward Hyde era più piccolo, più magro e più giovane di Henry Jekyll. Come la bontà splendeva sulla fisionomia dell'uno, la malvagità era ampiamente e chiaramente scritta in faccia all'altro. La malvagità inoltre (che ancora reputo essere la parte mortale dell'uomo) aveva impresso in quel corpo un marchio di deformità e di decadenza. Malgrado tutto questo, mentre guardavo quell'orribile idolo nello specchio, non provai alcuna ripugnanza, anzi quasi avvertii un fremito di soddisfazione. Anche quell'uomo ero sempre io. Pareva una cosa naturale e umana. Ai miei occhi quella era un'immagine più viva, più immediata, più individuale dello spirito in confronto al volto imperfetto e diviso che sino a quell'attimo avevo chiamato «io», e sino a tal punto credo d'aver avuto ragione. Ho osservato che, quando avevo le sembianze di Edward Hyde, nessuno poteva avvicinarmi senza un visibile moto di diffidenza. Questo, a parer mio, derivava proprio dal fatto che gli esseri umani, così come noi li incontriamo, sono un miscuglio di bene e di male; e Edward Hyde, invece, unico nel suo genere, era puro male.

Restai solo un minuto davanti allo specchio: dovevo tentare il secondo e conclusivo esperimento; dovevo ancora decidere se avessi perduto la mia identità senza possibilità di recupero e se, quindi, fossi costretto ad abbandonare precipitosamente, prima del giorno, una casa che non era più la mia; rientrai dunque in fretta e furia nel mio gabinetto, preparai una nuova pozione, la trangugiai, ancora una volta patii l'agonia della dissoluzione e ritornai di nuovo in me con il carattere, la statura e la faccia di Henry Jekyll.

Quella notte pervenni al bivio fatale. Se avessi considerato la mia scoperta con uno spirito più nobile, se avessi tentato l'esperimento sotto l'imperio di generose o pie aspirazioni, tutto sarebbe andato altrimenti, e da quelle agonie di morte e di rinascita sarei uscito come un angelo invece che come un diavolo. La droga non possedeva alcuna azione discriminante; non era diabolica come non era divina; scuoteva solo la porta della prigione dei miei desideri imprigionati e, come i prigionieri di Filippi[6] quello che era chiuso dentro fuggiva fuori. A quel tempo la parte buona in me sonnecchiava; la parte cattiva, tenuta sveglia dall'ambizione, era pronta a cogliere ogni occasione; e quello che ne derivò fu Edward Hyde. E così, sebbene io possedessi ora due caratte-

[6] Allusione alla tragedia di Cassio e Bruto, come è trattata nel *Giulio Cesare* di Shakespeare.

ri allo stesso modo che possedevo due facce, uno era interamente malvagio, ma l'altro era ancora il solito Henry Jekyll, quel miscuglio incongruo, a proposito della riforma e del miglioramento del quale avevo già imparato a disperare.

A quel tempo non riuscivo neppure a dominare la mia avversione all'aridità di un'esistenza di studio. Provavo spesso voglia di divertirmi; e siccome i miei piaceri (per non dir altro) non erano decorosi e siccome io ero persona non solo conosciuta e considerata ma anche prossima all'età matura, tale incoerenza della mia vita diventava ogni giorno più sgradevole. Ecco perché il mio nuovo potere mi tentò sempre di più, sino a ridurmi suo schiavo. Dovevo solo vuotare quella coppa per abbandonare immediatamente il corpo dello stimato professore e assumere, come un fitto mantello, quello di Edward Hyde. L'idea mi attraeva, mi pareva quasi divertente, e un giorno compii i miei preparativi con cura minuziosa. Presi e ammobiliai quella casa a Soho, dove la polizia andò a cercare Hyde, e assunsi al mio servizio una donna che sapevo di poche parole e di pochi scrupoli. D'altra parte comunicai alla mia servitù che un tal signor Hyde (e lo descrissi loro) doveva avere piena libertà e autorità nella mia casa sulla piazza e, per evitare equivoci, mi feci parecchie visite e mi resi familiare nel mio secondo personaggio. Quindi scrissi quel testamento che voi disapprovaste tanto; secondo il quale, ove mi fosse capitato qualcosa nei panni del dottor Jekyll, potevo servirmi di quelli di Edward Hyde senza subire alcun danno finanziario. E così, fortificato contro ogni evenienza – almeno lo supponevo – cominciai a trar profitto dalla sorprendente immunità della mia condizione.

Un tempo certi assoldavano dei bravacci che commettessero per loro delitti mentre la loro persona e la loro reputazione restavano al sicuro. Io fui il primo a commettere delitti direttamente e per il mio piacere. Io fui il primo a poter camminare davanti al mondo con un'aureola di rispettabilità geniale, che poi potevo, in un attimo, abbandonare, come uno scolaretto, per buttarmi a capofitto nel mare dell'arbitrio. Per me, avvolto nel mio impenetrabile mantello, la sicurezza era completa. Pensate, non esistevo neppure! Tornato nel mio laboratorio, trangugiavo in uno o due secondi la pozione che tenevo sempre pronta, ecco quanto bastava perché Edward Hyde scomparisse così come scompare l'appannatura fatta dall'alito su uno specchio; e, al suo posto, sereno nella sua casa, era di nuovo il dottor Jekyll che regolava la lampada per la notte, per continuare i suoi studi, in grado di ridersi d'ogni sospetto.

I piaceri, che subito cercai nel mio travestimento, erano, l'ho già detto, poco decorosi, l'uso d'un termine più forte non sarebbe stato opportuno. Ma nelle mani di Edward Hyde cominciarono immediatamente a divenir mostruosi. Al mio rincasare da simili escursioni, mi capitava spesso di meravigliarmi della depravazione dell'altro me stesso. Quell'essere da me evocato fuori del profondo del mio animo e da me inviato per il mondo alla caccia del piacere, era essenzialmente maligno e perverso; ogni sua azione, ogni suo pensiero servivano solo al suo appagamento; con bestiale avidità beveva il piacere dei tormenti altrui; ed era spietato come se fosse fatto di pietra. A Henry Jekyll toccava a volte spaventarsi davanti agli atti di Edward Hyde; ma la situazione era così fuori d'ogni legge ordinaria, e insidiosamente indeboliva la vigilanza della coscienza. In fin dei conti era Hyde, e Hyde soltanto, il colpevole di tutto. Jekyll non diventava certamente peggiore a causa dell'altro; si risvegliava con tutte le sue ottime qualità apparentemente inalterato; anzi, era capace di affrettarsi a porre rimedio, quando era possibile, alle malefatte di Hyde. E così la sua coscienza si addormentava.

Non voglio entrare nei particolari delle infamie delle quali fui connivente (anche adesso mi riesce difficile l'ammissione di averle commesse). Voglio solo descrivere i fatti che seguirono e l'approssimarsi del mio castigo. Mi capitò un incidente che mi limiterò a menzionare, dato che fu privo di conseguenze. Un atto di crudeltà compiuto contro una bimba suscitò contro di me l'indignazione d'un passante che l'altro giorno riconobbi nella persona di vostro cugino; un medico e la famiglia della piccola si unirono a costui; per qualche minuto temetti per la mia vita; e, finalmente, per pacificare il loro giusto risentimento, Edward Hyde fu obbligato a guidarli sino alla porta che conoscete e a versare loro un assegno firmato da Henry Jekyll. Un pericolo simile venne eliminato per l'avvenire con l'apertura di un conto in un'altra banca al nome di Edward Hyde stesso, e, quando, con l'alterazione della mia scrittura, riuscii a rifornire di firma il mio «doppio», mi reputai davvero al riparo dai colpi del fato.

Due mesi circa prima dell'uccisione di Sir Danvers, ero uscito per una delle mie imprese notturne ed ero rincasato tardissimo, e la mattina mi svegliai nel letto in preda a strane sensazioni. Invano guardavo intorno a me il mobilio elegante e le ampie dimensioni della mia camera che dava sulla piazza; invano riconoscevo il modello dei cortinaggi e il disegno della intelaiatura in mogano del letto; insistentemente qualcosa mi ripeteva che non ero dove ero, che non mi ero affatto svegliato là dove mi pareva d'essere, bensì nella stanzuccia di Soho ove avevo l'abitudine di dormire nelle spoglie di Edward Hyde. Sorrisi di me stesso e, assecondando la mia mania di studiare tutto psicologicamente, presi ad analizzare gli elementi di tale illusione e, mentre pensavo, mi lasciavo ogni tanto riprendere dal confortevole torpore mattutino. Mi trovavo in tale stato, quando, in un momento di perfetta lucidità, i miei occhi si posarono su una mia mano. Ora, la mano di Henry Jekyll (come voi l'avete spesso notata) era professionale nella forma e nelle dimensioni: era grande, ferma, bianca e ben fatta. Ma la mano che ora vedevo abbastanza bene nella giallastra luce di quella mattina londinese, la mano che giaceva semichiusa sul risvolto del lenzuolo era magra, nodosa, aveva un tetro pallore ed era ricoperta da peli scuri. Era la mano di Edward Hyde.

Dovetti stare a guardarla per quasi mezzo minuto, istupidito dalla meraviglia, prima che il terrore mi penetrasse nel petto, improvviso e spaventoso, come uno strepito di cimbali; saltando fuori dal letto, corsi a specchiarmi. Quanto vidi mi ghiacciò il sangue nelle vene. Sì, ero andato a letto Henry Jekyll e mi ero svegliato Edward Hyde. Come poteva spiegarsi un fatto simile? Lo domandai a me stesso; e, subito dopo, in un nuovo impeto di terrore mi rivolsi un'altra domanda: come potevo rimediare a tutto ciò? Era ormai mattina avanzata, la servitù era già in piedi, tutti i miei preparati si trovavano nel mio gabinetto e, per arrivarvi da dove me ne stavo inorridito, dovevo compiere un lungo tragitto, scendere due scale, attraversare il corridoio, il cortile, la sala d'anatomia. Avrei forse potuto coprirmi la faccia; ma a quale scopo, quando non potevo celare l'alterazione della mia statura? Poi, con un profondo senso di sollievo, mi sovvenni che i miei servitori erano abituati a vedere andare in su e giù quel secondo me stesso. Mi vestii in fretta e furia, meglio che potei, con gli abiti della mia misura: attraversai le stanze ove Bradshaw spalancò gli occhi e indietreggiò nel vedere il signor Hyde a quell'ora e con quello strano abbigliamento; dieci minuti più tardi il dottor Jekyll era ritornato nel proprio aspetto, e sedeva, con le ciglia aggrottate, facendo finta d'interessarsi alla colazione.

Ma non avevo sicuramente appetito. Quell'inesplicabile incidente, quel capovolgimento delle mie precedenti esperienze, parevano compitare, come il dito babilonese sul muro,[7] le lettere della mia condanna; e io presi a riflettere più seriamente di quanto avessi mai fatto alle conseguenze e alla possibilità della mia doppia esistenza. Quella parte di me stesso che avevo il potere di far vivere, negli ultimi tempi era stata molto esercitata e alimentata; e mi pareva persino che il corpo di Edward Hyde fosse cresciuto in statura e che (quando avevo quell'aspetto) il sangue mi scorresse più generosamente nelle vene; cominciai a vedere il pericolo che, prolungandosi gli esperimenti, l'equilibrio della mia natura potesse venire alterato per sempre, e la mia capacità di trasformarmi a volontà potesse cessare, e il carattere di Edward Hyde diventare irrevocabilmente il mio. Il potere della po-

[7] Durante un convito di Baldassarre, re di Caldea, una mano oltreterrena vergò sul muro le tre parole fiammeggianti *Mene, Tekel, Peres*, profezia della prossima rovina del re.

zione non si era mostrato sempre uguale. Una volta, agli inizi dei miei esperimenti, aveva totalmente fallito; e da allora, in varie circostanze, ero stato obbligato a raddoppiare la dose, una volta persino a triplicarla con pericolo di morte; e queste rare incertezze avevano costituito sino ad allora le sole ombre sulla mia soddisfazione. Adesso, però, alla luce dell'esperienza di quella mattina, dovevo concludere che, mentre nei primi tempi avevo faticato per liberarmi del corpo di Jekyll, ora, lentamente ma sicuramente, tale difficoltà riguardava la mia liberazione dal corpo di Hyde. Tutto pareva indicarmi questo: che stavo perdendo il dominio dell'originario e migliore me stesso, e mi stavo incorporando nel secondo e peggiore mio aspetto.

Tra questi due esseri, ormai, dovevo far la mia scelta. Le mie due nature avevano in comune soltanto la memoria, ma tutte le loro altre facoltà erano divise in modo ineguale. Jekyll, che era un composto, ora con smisurata apprensione, ora con voluttà progettava e spartiva i piaceri e le avventure di Hyde; Hyde, invece, si disinteressava di Jekyll o, al massimo, lo ricordava come il bandito della montagna ricorda la caverna dove può nascondersi dagli inseguitori. Jekyll provava qualcosa di più dell'interesse d'un padre; Hyde qualcosa di più dell'indifferenza d'un figlio. Scegliere di essere Jekyll significava rinunciare a quei piaceri che avevo goduto segretamente per tanto tempo, e che da ultimo avevano cominciato a soddisfarmi in pieno. Scegliere di essere Hyde significava morire a mille interessi e aspirazioni e diventare di colpo, e per sempre, un reietto, significava perdere ogni amico. La questione può parere diseguale, certo, ma c'era un'altra considerazione ancora da fare che, mentre Jekyll avrebbe molto sofferto nel fuoco dell'astinenza, Hyde non avrebbe neppure avuto coscienza di quello che perdeva. Nella stranezza della mia condizione i termini del dibattito erano vecchi e comuni come l'uomo; le stesse tentazioni e le stesse paure gettano il dado per il peccatore tentato e impaurito; mi accadde, come alla maggior parte dei miei simili, di scegliere la parte migliore, e di non saperla mantenere.

Sì, preferii il vecchio e scontento dottore circondato da amici e da oneste speranze, e detti un addio risoluto alla libertà, alla relativa gioventù, al passo leggero, ai palpiti violenti, alle segrete voluttà che avevo goduto con il corpo di Hyde. Forse feci tale scelta con qualche involontaria riserva, perché non lasciai la casa di Soho, non distrussi gli abiti di Hyde, sempre a portata di mano nel mio gabinetto. Tuttavia per due mesi mantenni fede alla mia decisione; per due mesi condussi una vita austera come mai prima di allora avevo condotto, e ne ebbi in compenso una coscienza tranquilla. Ma il tempo cominciò a indebolire i miei timori, il compiacimento della mia coscienza diventò una cosa naturale; cominciai invece a essere torturato da desideri e angosce, come se Hyde lottasse per la sua libertà, e infine, in un'ora di debolezza morale, ricomposi ancora una volta e trangugiai la pozione metamorfica.

Non credo che, quando un ubriaco ragiona con se stesso del proprio vizio, si preoccupi una volta su cinque dei pericoli a cui va incontro con la sua bruta insensibilità fisica; neppure io, per quanto a lungo abbia studiato la mia condizione, ho tenuto abbastanza conto della completa insensibilità morale e dell'insensata capacità di male che erano le caratteristiche di Edward Hyde. Eppure proprio da esse ho ricevuto la punizione. Il demone della malvagità, che era stato a lungo in gabbia, irruppe fuori ruggendo. Ero consapevole, mentre mandavo giù la pozione, di una più sfrenata, più furiosa spinta verso il male. Deve esser stato proprio questo, suppongo, a suscitare nel mio animo una tale tempesta d'impazienza che non stetti neppure ad ascoltare le parole civili della mia sventurata vittima; almeno dichiaro davanti a Dio che nessun uomo moralmente sano si sarebbe reso colpevole di un simile delitto per una provocazione tanto meschina; dichiaro che colpii senza ragionare, senza pensare, nello stesso modo col quale un bimbo rompe un giocattolo. Ma mi ero liberato dell'istinto equilibratore con l'aiuto del quale anche i peggiori, tra gli uomini, riescono a camminare fermamente tra le tentazioni del male; nel mio caso, ormai, esser tentato significava cadere immediatamente nell'errore.

Istantaneamente lo spirito demoniaco si svegliò in me e imperversò. Con una foga gioiosa percossi quel corpo senza resistenza, provando delizia a ogni colpo; solo quando la stanchezza cominciò a farsi sentire, repentinamente, nell'accesso culminante del mio delirio, provai un gelido brivido di terrore. La nebbia si disperse; vidi la mia vita in pericolo; e fuggii dal teatro di quegli eccessi, esaltato e tremante, con il mio bisogno di male soddisfatto ed eccitato e con il mio amore della vita portato al parossismo. Corsi nella casa di Soho, e (per essere ancora più al sicuro) distrussi le mie carte; quindi vagai per le strade illuminate sempre nella stessa contrastante estasi mentale, felice per il mio delitto, progettando di commetterne altri in avvenire e tuttavia affrettandomi nella paura di udire dietro di me i passi del vendicatore. Hyde aveva una canzone sulle labbra, quella notte, quando bevve la pozione, e brindò all'uomo ucciso. Ma i dolori della metamorfosi non erano ancora calmati in lui che già Henry Jekyll, con lacrime di gratitudine e di rimorso, era caduto in ginocchio e alzava a Dio le mani giunte. Il velo dell'indulgenza che avevo avuto per me stesso era ormai completamente lacerato, e vidi l'intera mia esistenza: dai giorni dell'infanzia, quando camminavo per mano a mio padre, via via attraverso le fatiche della mia professione sino ad arrivare, con lo stesso senso d'irrealtà, ai maledetti orrori di quella sera. Devo aver gridato; tentavo con lacrime e preghiere di placare la folla di odiose immagini e di suoni che la memoria risvegliava in me; pure in mezzo a tutte quelle suppliche la terribile faccia della mia iniquità continuava a fissarmi nell'animo. All'acutezza del rimorso prese a poco a poco a sostituirsi una sensazione di sollievo. Il problema della mia condotta era risolto. Diventar Hyde non era più possibile; volente o nolente, ero confinato nella parte migliore della mia natura: oh, come mi rallegrai a tale pensiero! Con quale premurosa umiltà abbracciai di nuovo le restrizioni della mia vita abituale! Con quale sincera rinuncia chiusi la porta attraverso la quale ero passato e ripassato tante volte e infransi la chiave sotto il tacco!

Il giorno dopo si diffuse la notizia che l'assassino era stato scoperto, che era evidente la colpevolezza di Hyde, e che la vittima era un uomo che aveva goduto di molta stima. Quello non era solo un crimine, era tragica follia. Credo di esser stato contento di apprenderlo; credo di esser stato contento che, a incitamento e a difesa dei miei impulsi migliori, intervenisse la paura del patibolo. Jekyll era di nuovo la cittadella dove rifugiarmi; se Hyde avesse fatto tanto di lasciarsi vedere, le mani di tutti si sarebbero alzate per afferrarlo e ucciderlo.

Decisi di redimere il mio passato con la mia condotta futura; e posso affermare onestamente che la mia decisione portò qualche buon frutto. Sapete bene voi stesso con quale ardore gli ultimi mesi dello scorso anno mi sia dedicato ad alleviare le sofferenze altrui, sapete che molto ho fatto per gli altri, e come i giorni siano trascorsi quieti, quasi felici per me. Né posso dire che mi stancassi di quella vita benefica e innocente; anzi ogni giorno ero più soddisfatto; ma ero ancora torturato dal dualismo dei miei propositi e, via via che il mio pentimento si placava, la mia parte peggiore, a cui tanto a lungo avevo ceduto e che solo recentemente avevo incatenata, cominciava a brontolare per liberarsi. Non pensavo affatto di far resuscitare Hyde; la semplice idea mi dava la vertigine: no, era nella mia stessa persona che, ancora una volta, ero tentato di giocare con la mia coscienza; e, come è solito capitare a coloro che peccano in segreto, caddi sotto gli assalti della tentazione.

Ogni cosa viene a una fine: anche la misura più grande finisce per colmarsi; e quella breve accondiscendenza alla mia malvagità distrusse l'equilibrio del mio animo. Eppure non ne fui allarmato, la caduta pareva naturale, quasi un ritorno alla prima maniera di essere, quella di prima che prendessi la pozione. Era una bella, chiara giornata di gennaio, con il terreno umido per il ghiaccio che si sfaceva sotto i piedi, non c'erano nubi; e Regent's Park era pieno di scricchiolii invernali e odorava già di primavera. Sedevo al sole su una panchina; la belva ch'era in me lambiva i mutamenti della memoria, la parte spirituale sonnecchiava, promettendo un successivo pentimento, ma per il momento non si dava da fare. «Dopo tutto», pensavo, «sono come quasi tutti i miei simili», e sorrisi, paragonandomi agli altri uomini, paragonando la mia attiva buona volontà alla loro pigra indifferenza. E, proprio nel momento nel quale mi cullavo in quel vanaglorioso pensiero, fui colto da improvviso malore; un'orrenda nausea e un tremito quasi mortale. Il malessere passò, e mi lasciò esausto; e, quando finì quel collasso, mi avvidi d'un mutamento della natura dei miei pensieri, una maggiore audacia, uno sprezzo del pericolo, un senso di libertà dal dovere. Mi guardai: le mie vesti s'afflosciavano senza forma sulle mie membra rattrappite; la mano che tenevo sulle ginocchia era nodosa e pelosa. Ero Edward Hyde! Un momento prima ero ben sicuro d'essere rispettato da tutti, d'essere ricco, amato, e una buona tavola mi attendeva a casa, apparecchiata; e ora appartenevo nuovamente alla feccia dell'umanità, ero di nuovo il perseguitato, il senza tetto, l'assassino destinato al patibolo.

La mia ragione vacillò, ma non mi abbandonò. Avevo osservato più d'una volta che in questo mio secondo carattere ogni mia facoltà si faceva più acuta e la mia mente diventava più elastica e così accadde che, dove Jekyll avrebbe potuto soccombere, Hyde seppe essere all'altezza della situazione. Le pozioni erano in un cassetto del mio gabinetto; come raggiungerle? Questo era il problema (e mi tenevo le tempie tra le mani) da risolvere subito. Avevo chiuso la porta del laboratorio. Se avessi cercato di penetrare in casa dall'ingresso principale i miei servitori mi avrebbero consegnato alla giustizia. Capii che dovevo servirmi dell'opera altrui, e pensai a Lanyon. Ma come raggiungerlo? Come persuaderlo? Supponendo anche che riuscissi a sfuggire alla cattura per le strade, come sarei potuto arrivare alla sua presenza? E come avrei potuto, nella mia qualità di sconosciuto e sgradevole visitatore, convincere il medico famoso ad andare a rovistare nello studio del suo collega, il dottor Jekyll? Allora mi venne in mente che qualcosa del mio carattere originario mi restava: potevo scrivere con la mia scrittura e, non appena intravidi questa scintilla di luce, concepii chiaramente da cima a fondo il cammino da seguire.

Quindi mi assestai come meglio potei e, chiamata una carrozza che passava, mi feci condurre in un albergo di Portland Street, il nome del quale mi balenò per caso alla mente. Davanti al mio aspetto (che era veramente comico sebbene fosse tragico il destino che quei panni coprivano) il vetturino non poté celare un sorriso. Digrignai i denti con diabolico furore, e il sorriso scomparve dalla sua faccia – fortunatamente per lui – e ancora più fortunatamente per me, poiché un attimo dopo l'avrei certamente buttato giù dalla carrozza. Entrando nell'albergo, mi guardai intorno con un'espressione così truce che i camerieri tremarono; non si scambiarono alcuno sguardo in mia presenza, ma presero ossequiosamente i miei ordini, mi fecero entrare in una saletta privata, e mi portarono l'occorrente per scrivere. Hyde in pericolo di vita era una creatura nuova, per me: agitato da un'ira confusa, tentato a commettere qualche delitto, desideroso comunque di far del male. Però quella creatura era astuta; dominò il proprio furore con un grande sforzo di volontà; e scrisse due importanti lettere, una a Lanyon, l'altra a Poole, e, per aver la prova che fossero impostate, ordinò di spedirle raccomandate.

Dopo di che sedette tutto il giorno davanti al fuoco nella saletta privata, e si mordeva le unghie; pranzò solo con i suoi timori, mentre il cameriere che lo serviva tremava al suo sguardo; e poi, quando fu notte fonda, uscì; chiamò una carrozza chiusa e si fece portare su e giù per le vie della città. «Lui», dico, non posso dire «io».

Quel figlio del demonio non aveva più alcunché d'umano; nulla sopravviveva in lui se non paura e odio. E, quando, per il timore che il vetturino potesse insospettirsi, lasciò la carrozza e procedette a piedi, attirando l'attenzione dei passanti notturni con i suoi abiti troppo ampi, quelle due basse passioni infuriavano nella sua mente. Una donna gli rivolse la parola, offrendogli forse una scatola di fiammiferi. Lui la schiaffeggiò e quella fuggì.

Quando ritornai me stesso in casa Lanyon, l'orrore del mio vecchio amico mi colpì non poco, credo; non lo so; comunque tale impressione fu come una goccia nel mare dell'orrore che avevo dovuto patire nelle ore precedenti. Un cambiamento era avvenuto in me. Non mi tormentava più la paura del patibolo, ma il terrore d'essere Hyde. Ascoltai la condanna di Lanyon quasi in sogno: quasi in sogno rincasai, e mi misi a letto. Dopo la prostrazione della giornata dormii di un sonno profondo che neppure l'assalto degli incubi poté interrompere. Mi destai la mattina seguente debole, ma riposato. Odiavo e temevo sempre il bruto che dormiva in me e non riuscivo a scordare gli orribili pericoli del giorno precedente, ma mi trovavo una volta ancora a casa mia, vicino alla mia pozione e la gioia della salvezza era tanto forte che quasi rivaleggiava con la luce della speranza.

Dopo colazione stavo passeggiando tranquillamente attraverso il cortile; respiravo con piacere l'aria piuttosto fredda, quando venni assalito nuovamente dalle indescrivibili sensazioni preannuncianti la metamorfosi; ebbi appena il tempo di rifugiarmi nel mio gabinetto, e già ero nuovamente in preda alle passioni di Hyde. Occorse una doppia dose in tale circostanza per tornare a essere Jekyll. Ma, ahimè, sei ore dopo, mentre sedevo tristemente davanti al camino, venni ripreso dagli spasimi, e dovetti riprendere la pozione. In breve, a partire da quel giorno, soltanto con uno sforzo continuo e solo sotto lo stimolo della pozione riuscii a riassumere l'aspetto di Jekyll. A tutte le ore del giorno e della notte ero assalito dal brivido premonitore: soprattutto se dormivo, o anche soltanto se sonnecchiavo sulla mia poltrona, mi risvegliavo sempre nelle sembianze di Hyde. Sotto la minaccia di un tal destino continuamente incombente e per l'insonnia alla quale mi condannai, diventai nella mia persona debole di mente e di corpo, ossessionato da un unico pensiero: l'orrore dell'altro me stesso. Ma, quando dormivo o quando gli effetti della medicina si attenuavano, cadevo senza transizione (poiché gli spasimi della metamorfosi si facevano sempre più deboli) in potere d'un fuoco d'immagini tutte terrificanti, di un animo pieno d'odio senza motivo, di un corpo che non pareva abbastanza forte per sopportare quelle furiose energie di vita. La potenza di Hyde pareva crescere, insomma, con la debolezza di Jekyll. E certamente l'odio che li divideva era d'uguale intensità da tutt'e due le parti. Per Jekyll era istinto vitale. Aveva compreso tutt'intera la deformità di quella creatura che spartiva con lui alcuni fenomeni della coscienza e con la quale era vincolato sino alla morte: e, oltre a tali legami di comunanza, che costituivano la parte più sciagurata del suo dolore,

Jekyll pensava adesso a Hyde, con ogni energia della sua vita, come a un essere non soltanto demoniaco ma inorganico. Questo lo straziava soprattutto; che la melma del fondo profferisse grida e voci; che la polvere amorfa gesticolasse e peccasse; che quello che era morto e informe usurpasse le funzioni della vita. E ancora di più: che quell'orrore insorgente fosse legato a lui più strettamente d'una moglie; che fosse più intimo d'un occhio, che fosse prigioniero nella sua carne dove lo sentiva ringhiare e lottare per sortire alla luce; e che negli attimi di debolezza, o quando stava per abbandonarsi al sonno, lo dominasse o lo defraudasse della vita. L'odio di Hyde per Jekyll era di differente natura. La sua paura del patibolo lo portava continuamente a dover compiere un temporaneo suicidio, a tornare a essere parte quando agognava a essere persona, ma Hyde aborriva tale necessità; aborriva l'abbattimento nel quale era caduto Jekyll, e si risentiva dell'ostilità con la quale veniva ormai considerato da Jekyll. Tutto questo spingeva Hyde a commettere gli scherzi scimmieschi che mi giocava, come scarabocchiare con la mia scrittura bestemmie sulle pagine del libro che stavo leggendo, come bruciare le lettere o distruggere il ritratto di mio padre; e sono certo che, se non avesse avuto paura di morire, già da un pezzo si sarebbe procurato la rovina per coinvolgermici. Ma il suo attaccamento alla vita era straordinario; dirò di più: io, che sto male e rabbrividisco al solo suo pensiero, quando rifletto sull'abiezione e sul furore di tale suo attaccamento alla vita, quando rifletto sul suo terrore che io possa por fine alla sua esistenza con il suicidio, trovo ancora nel mio cuore un briciolo di pietà per lui.

È inutile, e ormai non ho più il tempo di prolungare questa narrazione; mi basta dire che nessuno può aver sofferto i miei tormenti, eppure l'abitudine era in grado di arrecarmi – no, non un sollievo – ma una certa insensibilità dell'animo, una certa acquiescenza della disperazione; e la mia punizione sarebbe potuta durare per anni e anni, se non fosse accaduta l'ultima sciagura, capace di staccarmi per sempre dalla mia vera faccia e dalla mia vera natura. La provvista di sali da me non più rinnovata dopo l'ultimo esperimento cominciò a scemare. Feci acquistare altri sali, composi la pozione: si verificò l'ebollizione e avvenne il primo mutamento di colore, ma non il secondo; bevvi ugualmente quella miscela e non ottenni più alcun effetto. Potrete sapere da Poole come io abbia fatto compiere ricerche nell'intera Londra; invano; e adesso sono convinto che la mia prima provvista di sali doveva essere impura e che fu proprio tale sconosciuta impurità a cagionare la potenza della droga.

È trascorsa quasi una settimana, e io sto ultimando questa relazione sotto l'influenza dell'ultima delle mie vecchie polveri. A meno che non si verifichi un miracolo, questa è dunque l'ultima volta che Jekyll può seguire i propri pensieri e può vedere la propria faccia (quanto tristemente alterata ormai!) nello specchio. E non devo indugiare troppo a finire il mio scritto, perché, se sino a ora esso è sfuggito alla distruzione, questo è dovuto alla combinazione tra una grande cautela da parte mia e una grande fortuna. Ma, se i dolori della metamorfosi mi assalissero mentre sto scrivendo, Hyde farebbe in mille pezzi lo scritto; se, invece, dopo che l'ho finito trascorrerà qualche tempo, lo straordinario egoismo di Hyde e la sua preoccupazione delle cose del momento lo salveranno dall'azione del suo scimmiesco dispetto. E, in realtà, il destino, che si sta serrando intorno a noi due, ha già molto mutato e domato anche Hyde. Tra mezz'ora, quando avrò di nuovo e per sempre riassunto quell'odiata personalità, sento che mi butterò sulla mia poltrona e vi resterò tremante e piangente o continuerò a camminare su e giù in questa stanza (l'estremo mio rifugio terreno), tendendo esasperatamente l'orecchio per carpire ogni rumore minaccioso. Morirà sul patibolo, Hyde? O troverà il coraggio di liberarsi all'ultimo attimo? Lo sa Dio: io non me ne curo più; questa è l'ora della mia vera morte, quanto accadrà dopo concerne un altro individuo. A questo punto, mentre depongo la penna e suggello la mia confessione, pongo fine alla vita dell'infelice Henry Jekyll.

Sommario